- 베이스기타시작 . QR코드스캔

• 스마트폰 또는 테블릿에서 아래 QR코드스캔시 가입 및 인증절차 없이
  바로 동영상강좌 및 전자책 다운로드 이용이 가능합니다.

문의 : 메일 : guitarcamp@naver.com./ 카카오톡(아이디:guitarcamp)
0504-0555-7824(문자주세요)

- 강좌리스트 -

베이스기타 기초부문

01. 본강좌 이용전 기타 key튜닝 및 사용안내(필독)
02. 일렉)베이스기타 각부분 명칭 및 역할 알아보기
03. 튜너를 사용한 튜닝법(줄음조율) 알아보기
04. 청음를 사용한 네츄럴튜닝법(줄음조율) 알아보기
05. 청음를 사용한 네츄럴하모닉스튜닝법(줄음조율) 알아보기
06. 베이스기타와 엠프연결 사운드세팅법 알아보기
07. 각현의 개방현(음)과 음계 알아보기
08. 왼손핑거링법 알아보기
09. 오른손핑거피킹법 알아보기
10. 피크사용법과 피킹법 알아보기
11. 크로메틱(반음계스케일) 알아보기
12. 악보보는법 알아보기(동영상미지원)
13. 베이스기타줄(현)교체 알아보기

베이스기타 코드부문

14. C - C7 - Cm - Cm7 (트라이어드)코드 알아보기
15. D - D7 - Dm - Dm7 (트라이어드)코드 알아보기
16. E - E7 - Em - Em7 (트라이어드)코드 알아보기
17. F - F7 - Fm - Fm7 (트라이어드)코드 알아보기
18. G - G7 - Gm - Gm7 (트라이어드)코드 알아보기
19. A - A7 - Am - Am7 (트라이어드)코드 알아보기
20. B - B7 - Bm - Bm7 (트라이어드)코드 알아보기
21. 옥타브코드 알아보기
22. C - F - G7 - C코드체인지 알아보기
23. Am - Dm - E7 - Am코드체인지 알아보기
24. D - C - Bb - B - C - C# - D 옥타브코드체인지 알아보기

베이스기타 리듬부문

25. 왈츠(Waltz)리듬 알아보기
26. 4비트(4beat)리듬 패턴 1 알아보기
27. 4비트(4beat)리듬 패턴 2 알아보기
28. 8비트(8beat)리듬 패턴 1 알아보기
29. 8비트(8beat)리듬 패턴 2 알아보기
30. 16비트(16beat)리듬 알아보기
31. 슬로우락(Slow Rock)리듬 알아보기
32. 셔플(Shuffle)리듬 알아보기
33. 스윙(Swing)리듬 알아보기
34. 레게(Trot)리듬 알아보기
35. 쌈바(Samba)리듬 알아보기
36. 트로트(Trot)리듬 알아보기

베이스기타 테크닉부문

37. 에머링온 & 풀링오프 & 트릴 테크닉 알아보기
38. 슬라이드 & 글리산도 테크닉 알아보기
39. 스타카토 & 데누토 테크닉 알아보기
40. 네츄럴 하모닉스 테크닉 알아보기
41. 벤딩(쵸킹) & 비브라토 테크닉 알아보기
42. 테핑(라이트핸드) 테크닉 알아보기

베이스기타 연습곡부문

43. A7 Key 12마디 Rock & Roll(락앤롤) 4비트 알아보기
44. A7 Key 12마디 Rock & Roll(락앤롤) 8비트 알아보기
45. A7 Key 12마디 Rock & Roll(락앤롤) 4비트 전체 따라하기

01. 본강좌 이용전 기타 key튜닝 및 사용안내(필독)

<중요공지 >

본강좌 이용시엔 기타 개방현 3번줄을 **"A"**(라)
음으로 튜닝(음조율)을 하신 후 이용하시기 바랍니다.(튜너사용 튜닝강좌부분을 참조하세요!)

● 튜너(음조율기)로 기타현음정맞추기(튜닝)

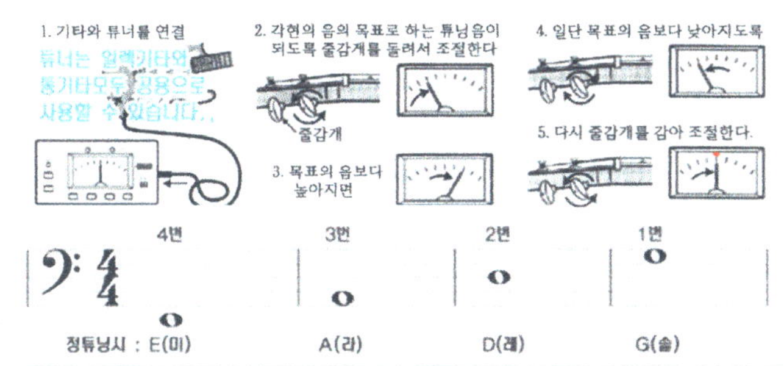

02. 각부분 명칭 및 역할 알아보기

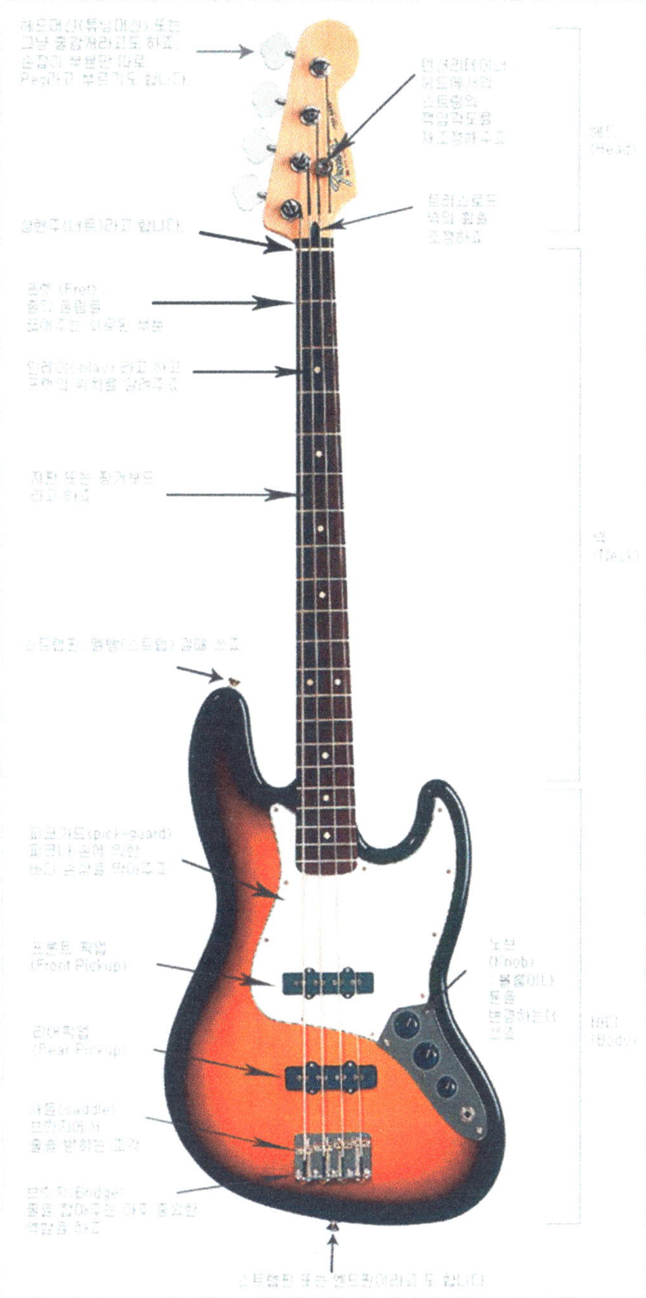

03. 튜너를 사용한 튜닝법(줄음조율)

04. 청음를 사용한 네츄럴 튜닝법(줄음조율)

(튜닝은 여러방법이 있습니다. 예를 들어 네추럴하모닉스 튜닝 튜닝기계를 이용한
튜닝 등이 있지만 이번시간엔 기본이 되는 개방현을 청음(음을듣기)튜닝 방법을
알아 보겠습니다.)(청음튜닝은 많은 노력이 필요함을 알려드립니다.)

5프렛 튜닝법
가장 많이 쓰이는 튜닝법으로 여기서는 피치 파이프(Pitch Pipe)를
통한 튜닝 방법을 설명하겠다. (다른 악기를 통한 튜닝도 같은 방법으로 하면 된다.)
또한 튜너를 사용하여 튜닝(조율)할 수 있다

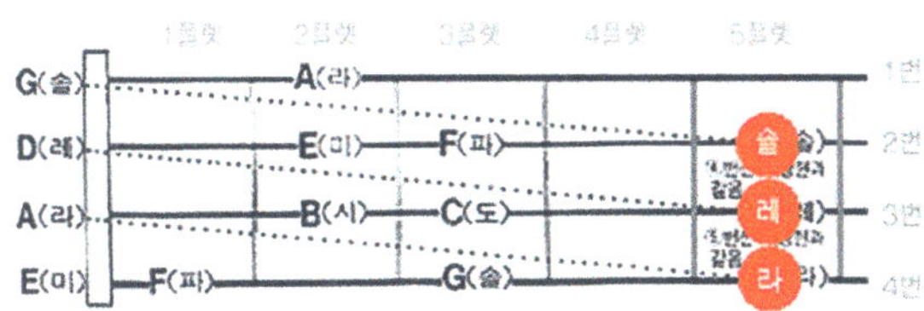

05. 청음를 사용한 네츄럴하모닉스 튜닝법(줄음조율)

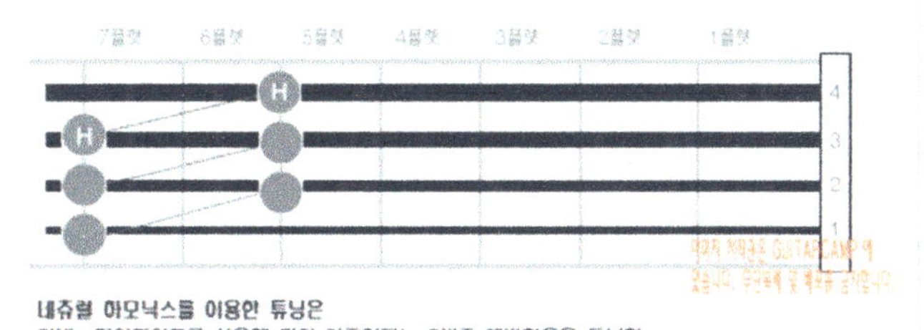

내츄럴 하모닉스를 이용한 튜닝은
건반, 피지파이프를 사용에 먼저 기준이되는 3번줄 개방현음을 튜닝함.
4번줄 5플렛 하모닉스를 연주한 다음 3번줄 7플렛 하모닉스를 연주후 4번줄 페그를 돌려 튜닝함.
3번줄 5플렛 하모닉스를 연주한 다음 2번줄 7플렛 하모닉스를 연주후 2번줄 페그를 돌려 튜닝함.
2번줄 5플렛 하모닉스를 연주한 다음 1번줄 7플렛 하모닉스를 연주후 1번줄 페그를 돌려 튜닝함.

06. 베이스기타와 엠프연결 사운드세팅법

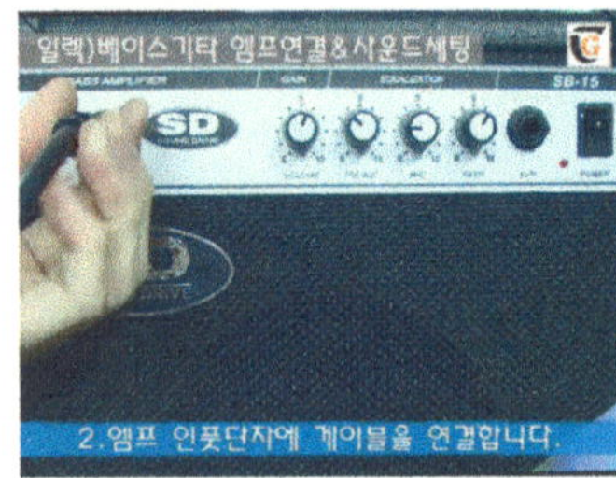

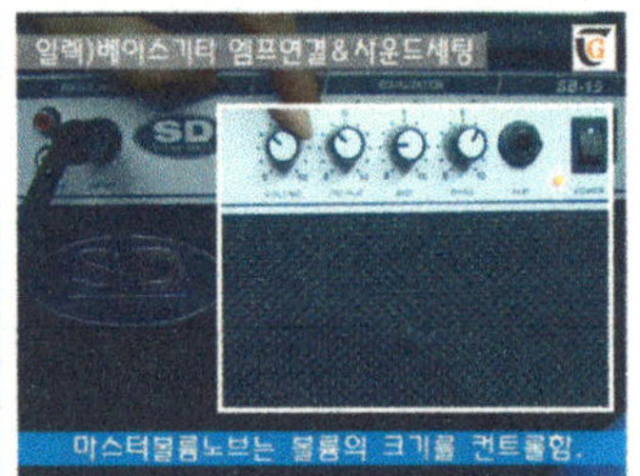

07. 각현의 개방현(음)과 음계 알아보기

개방현이란?

왼손으로 줄을 누르지 않은 내츄럴상태에 음을 말합니다.
가장기본이 되는 음입니다. 꼭 암기하시기 바랍니다.
(1번부터 - 솔->레->라->미)

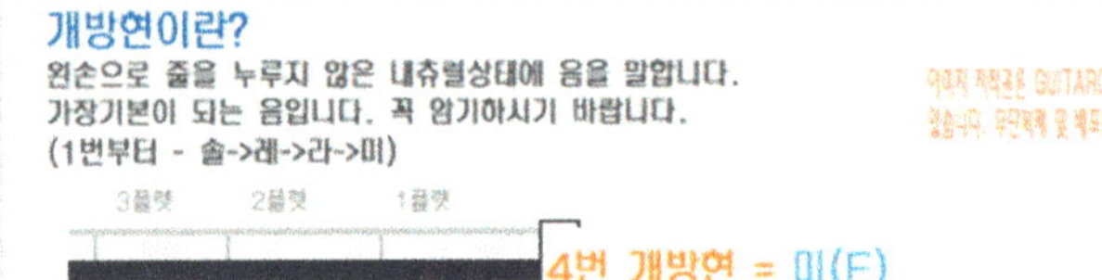

4번 개방현 = 미(E)
3번 개방현 = 라(A)
2번 개방현 = 레(D)
1번 개방현 = 솔(G)

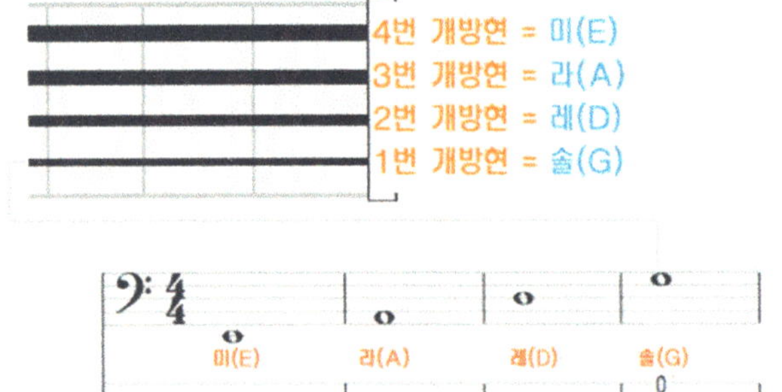

4번개방현(미)   3번개방현(라)   2번개방현(레)   1번개방현(솔)

09. 오른손핑거피킹법 알아보기

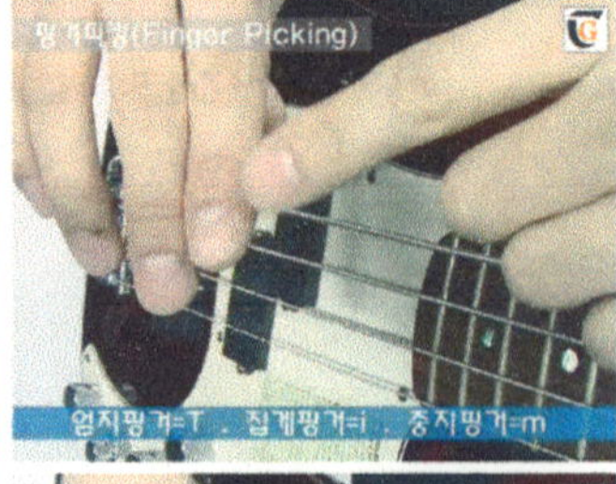

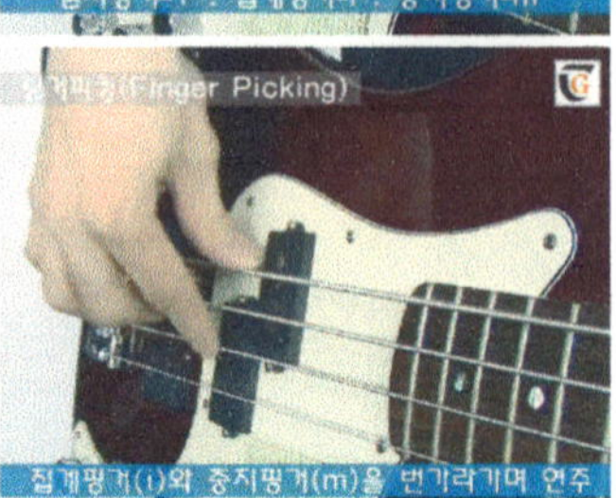

오른손 핑거피킹

엄지손가락(T)을 픽업위쪽 또는 4번줄 위에 살짝올려놓고
검지손가락(i)과 중지손가락(m)으로 줄(현)을 아래에서 위로 뜯으며
연주하는 주법입니다.

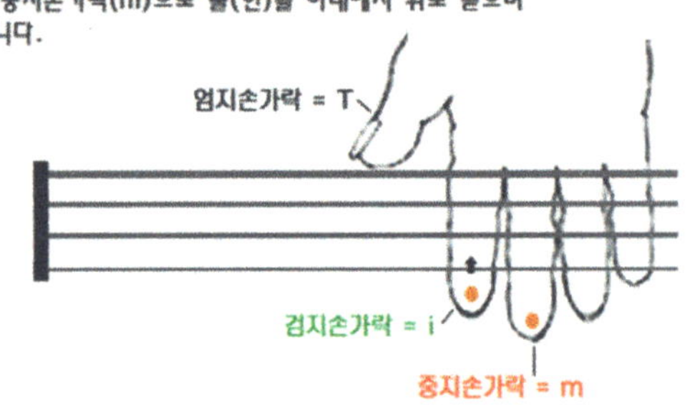

08. 왼손핑거링법 알아보기

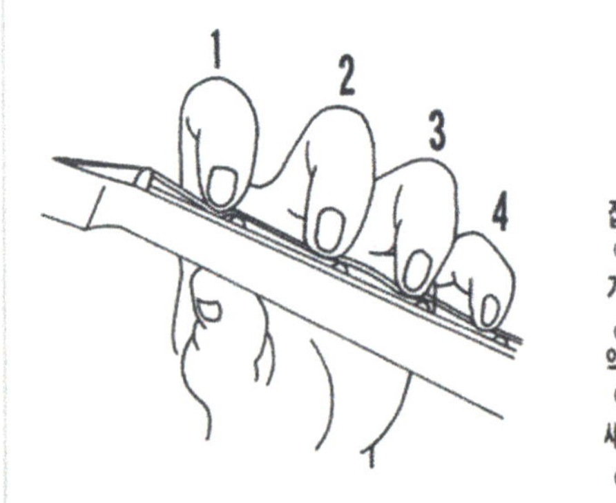

집게손가락   1
(검지)
가운뎃손가락   2
(장지)
약손가락   3
(약지)
새끼손가락   4
(소지)

왼손은 기타의 넥에 핑거보드에 있는 현을 누르는데 사용
왼손은 그림과같이 집게손가락 부터
1번에서 ~ 4번까지구성
엄지손가락은 0번이 됩니다.
(왼손은 기타넥을 공을 쥐듯이 자세를 잡습니다.)
손가락의 마디끝으로 세운뒤 기타현(줄)을 누릅니다.
기타 핑거보드 1플렛은 1번손가락이 담당.
(플렛번호에 맞게 4개단위씩 잡아줍니다.)

왼손 명칭

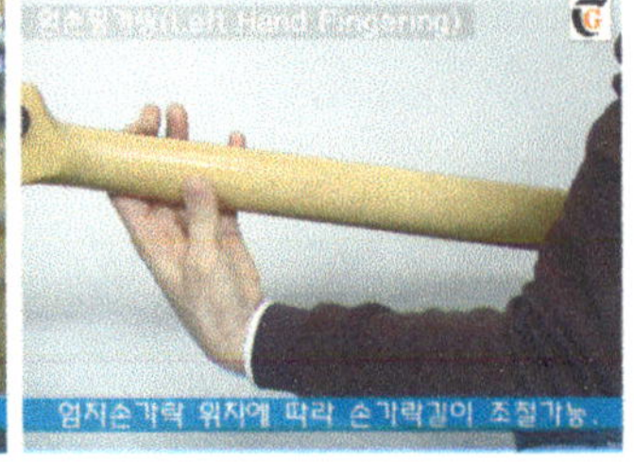

10. 피크사용법과 피킹법 알아보기

다운피킹법

(a) 정면에서 본 그림   (b) 다운피킹의 궤도   (c) 피킹하는 위치   (d) 피크의 각도

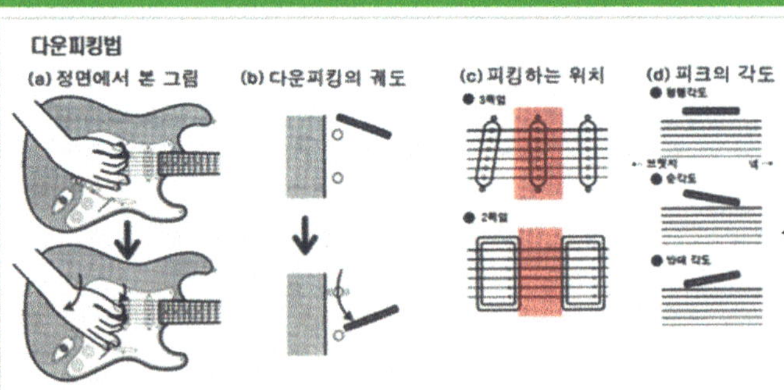

업피킹법

(a)정면에서 본 그림   (b) 업 피킹시의 그림

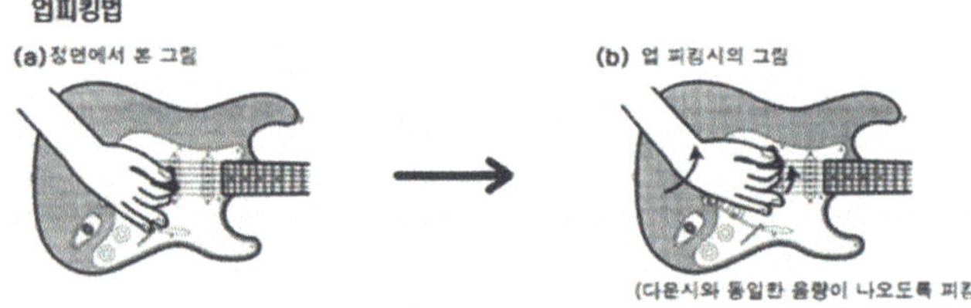

(다운시와 동일한 음량이 나오도록 피킹)

피크종류 및 잡는법

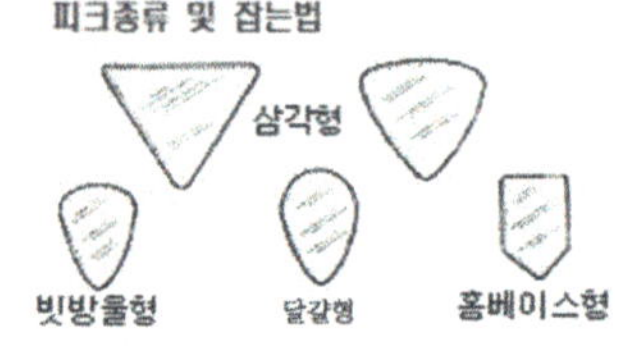

피크란? 오른손 주법시 사용되는 도구이다.
구체적 멜로디와 빠른 연주사용시 이용
빗방울형, 삼각형, 홈베이스현등
여러 종류가 있슴 또한 두께와 재질도한 여러
종류이다.

• 피크는 일반적으로 쉽게 물건을 잡듯이
편안하게 잡으셔야 피크컨트롤이 용이하게 됩니다.

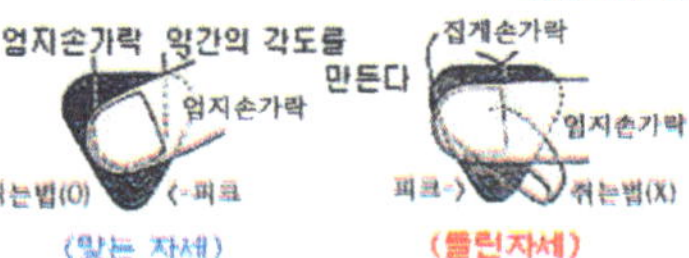

그림과 같이 피크는 잡는 자세에
따라 기타연주에 큰영향을 주는
요소이다.
꾸준한 연습으로 올바른 피킹자세를
익히는 것이 중요함.

11. 크로메틱(반음계스케일)알아보기

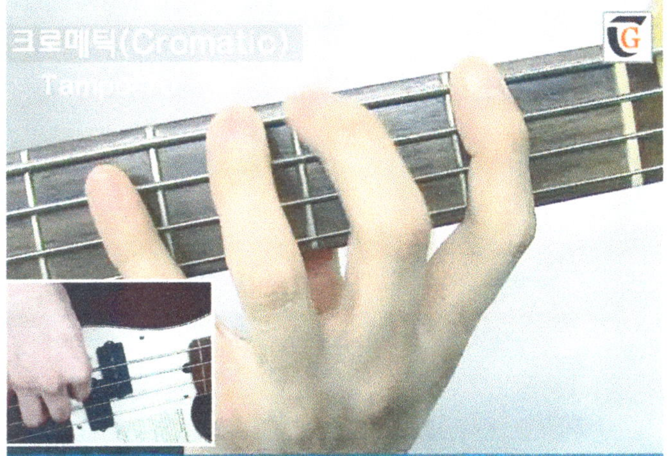

왼손핑거링과 오른손피킹 싱크연습.

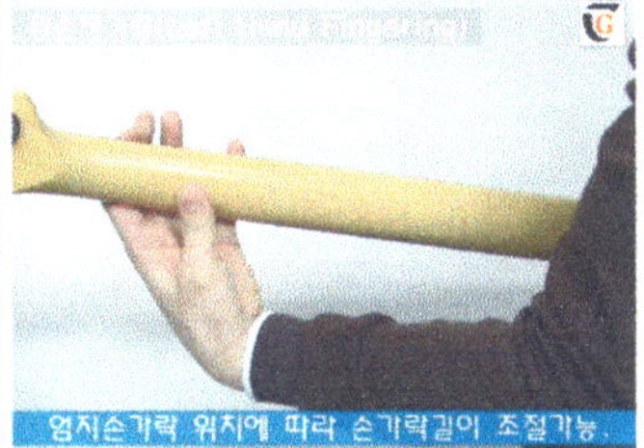

베이스기타 크로메틱연습
Moderate = 70

오른손-imimimim imimimim imimmmimi imimmmimi

(크로메틱연습은 왼손핑거링과 오른손핑거피킹의 싱크를 맞추고 핑거보드의 음정을
이해하는 연습이며 빠른동작의연습보단 정확한음을 내는 것이 중요합니다.)

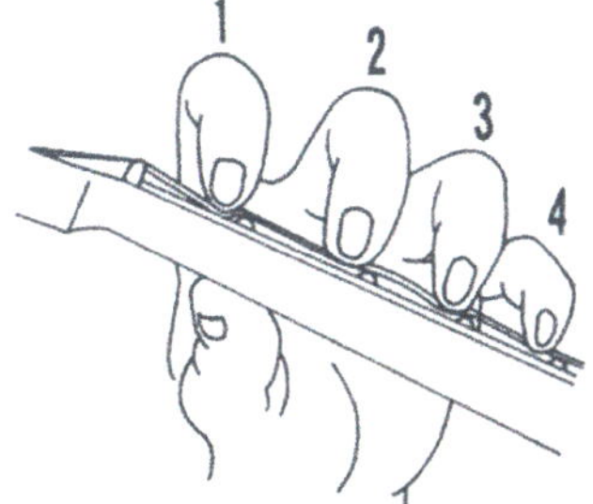

집게손가락 (검지)	1
가운뎃손가락 (장지)	2
약손가락 (약지)	3
새끼손가락 (소지)	4

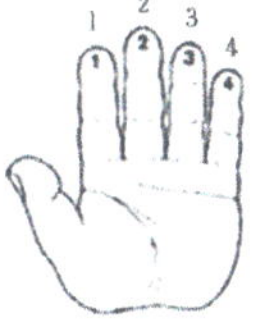

왼손 명칭

왼손은 기타의 넥에 핑거보드에 있는 현을 누르는데 사용
왼손은 그림과같이 집게손가락 부터
1번에서 ~ 4번까지구성
엄지손가락은 0번이 됩니다.
(왼손은 기타넥을 공을 쥐듯이 자세를 잡습니다.)
손가락의 마디끝을 세운뒤 기타현(줄)을 누릅니다.
기타 핑거보드 1플렛은 1번손가락이 담당.
(플렛번호에 맞게 4개단위씩 잡아줍니다.)

12. 악보보는법 알아보기(동영상미지원)

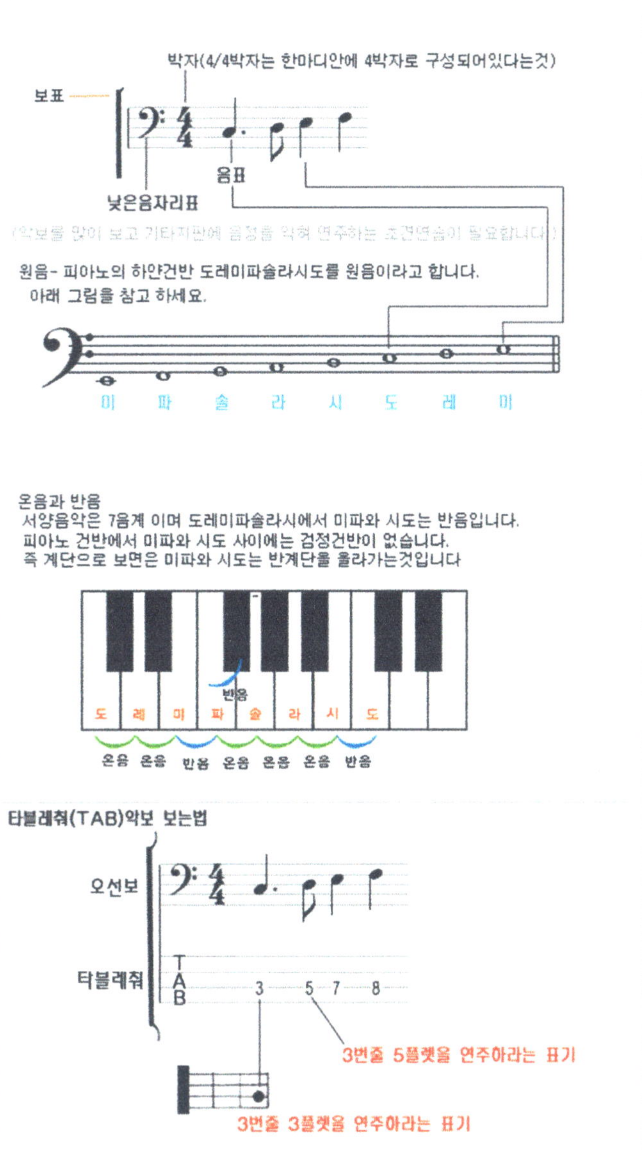

원음- 피아노의 하얀건반 도레미파솔라시도를 원음이라고 합니다.
아래 그림을 참고 하세요.

온음과 반음
서양음악은 7음계 이며 도레미파솔라시에서 미파와 시도는 반음입니다.
피아노 건반에서 미파와 시도 사이에는 검정건반이 없습니다.
즉 계단으로 보면은 미파와 시도는 반계단을 올라가는것입니다

타블레춰(TAB)악보 보는법

13. 베이스기타줄(현)교체 알아보기

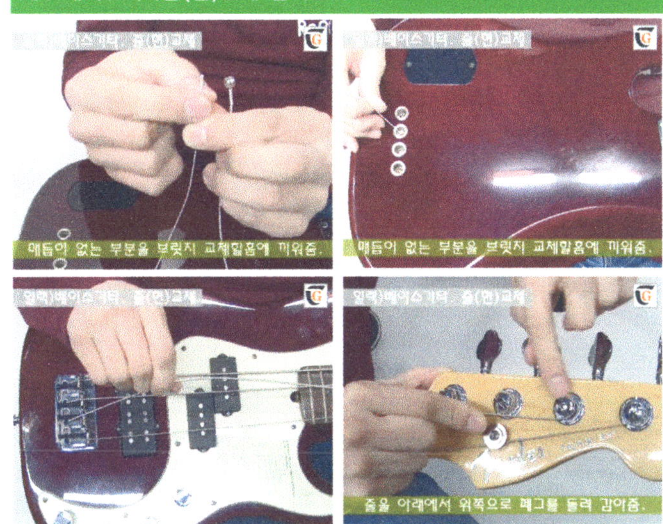

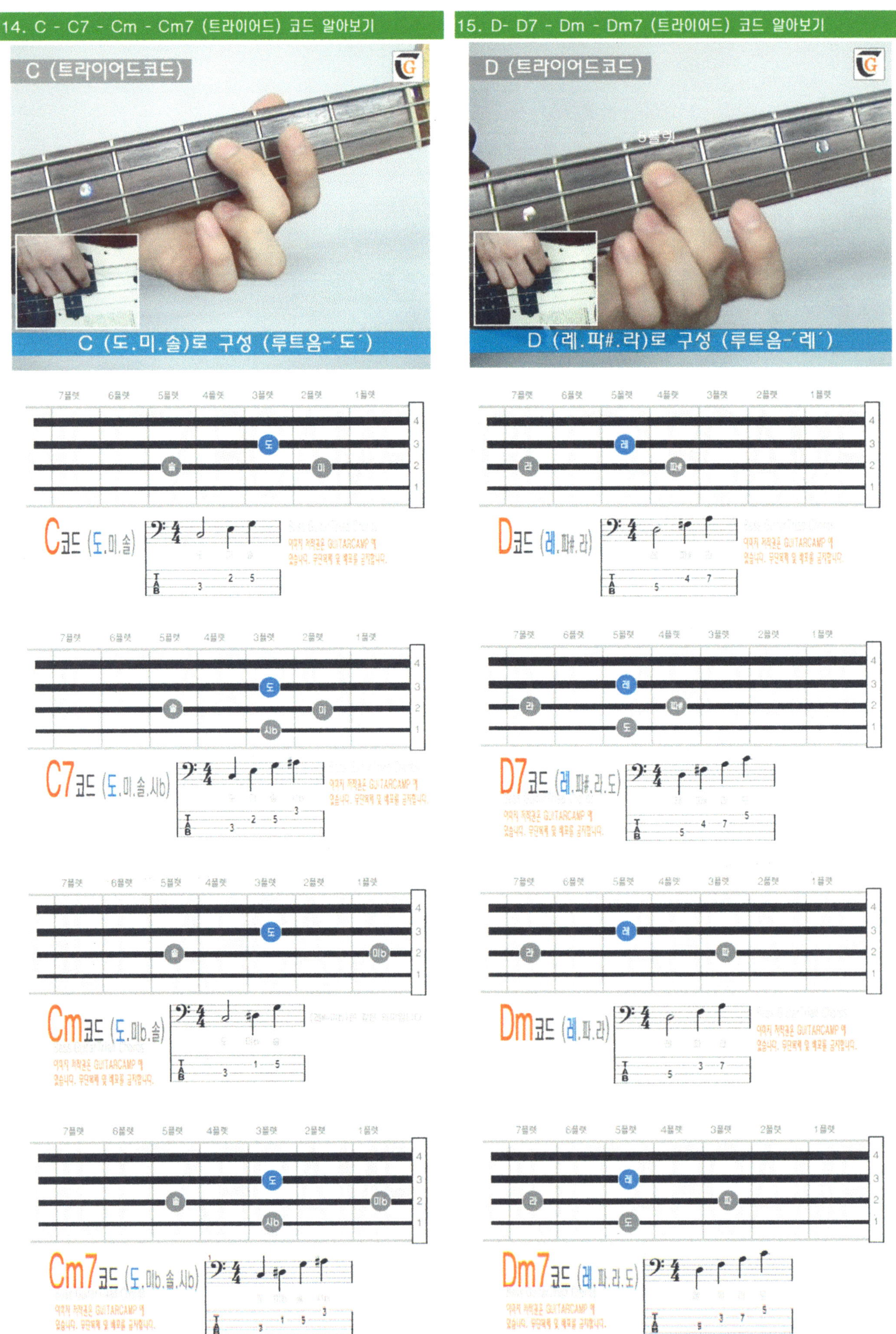

14. C - C7 - Cm - Cm7 (트라이어드) 코드 알아보기
15. D- D7 - Dm - Dm7 (트라이어드) 코드 알아보기
C (트라이어드코드)
D (트라이어드코드)
C (도.미.솔)로 구성 (루트음-´도´)
D (레.파#.라)로 구성 (루트음-´레´)
C코드 (도.미.솔)
D코드 (레.파#.라)
C7코드 (도.미.솔.시b)
D7코드 (레.파#.라.도)
Cm코드 (도.미b.솔)
Dm코드 (레.파.라)
Cm7코드 (도.미b.솔.시b)
Dm7코드 (레.파.라.도)

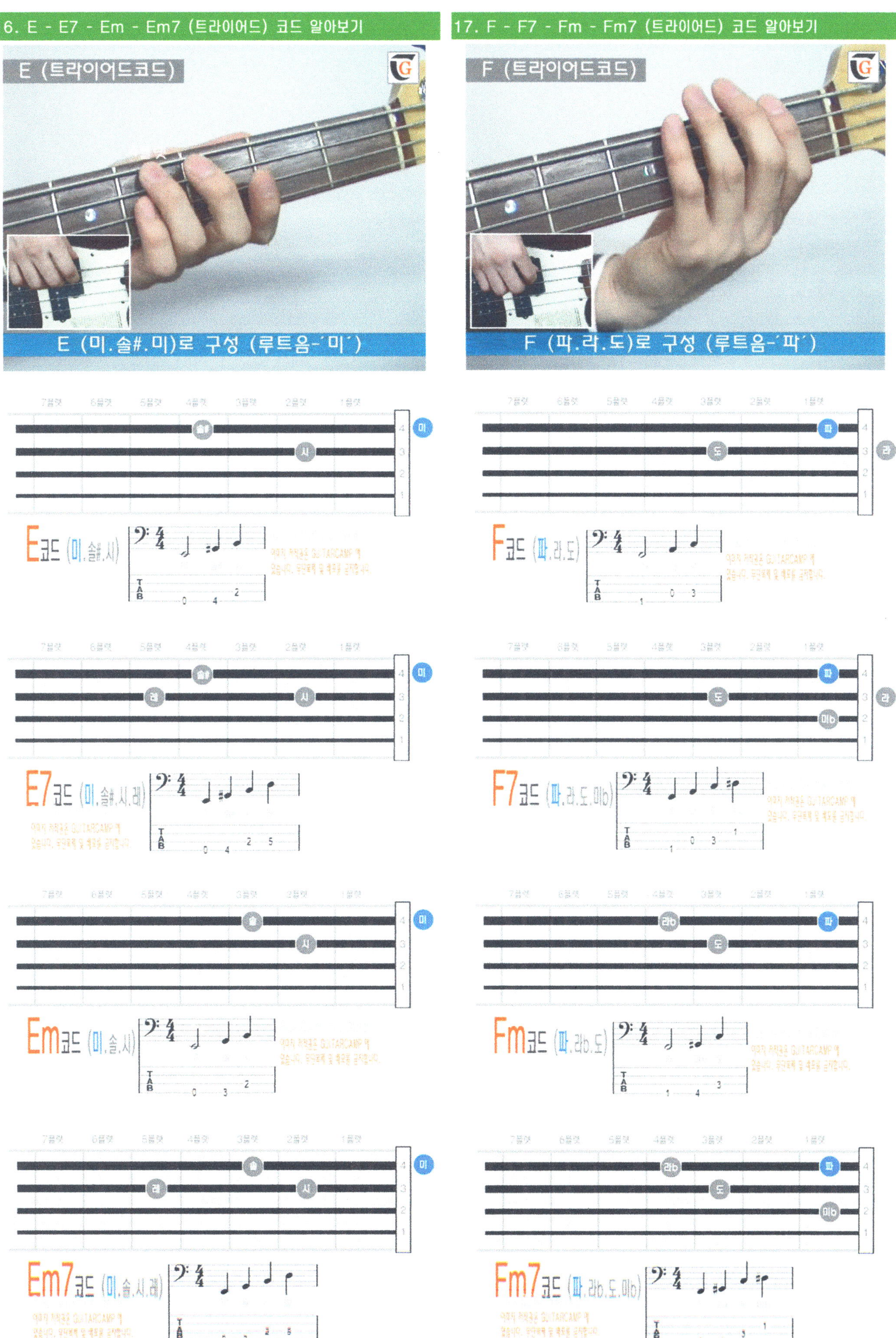
16. E - E7 - Em - Em7 (트라이어드) 코드 알아보기
17. F - F7 - Fm - Fm7 (트라이어드) 코드 알아보기
E (트라이어드코드)
F (트라이어드코드)
E (미.솔#.미)로 구성 (루트음-´미´)
F (파.라.도)로 구성 (루트음-´파´)
E코드 (미.솔#.시)
F코드 (파.라.도)
E7코드 (미.솔#.시.레)
F7코드 (파.라.도.미b)
Em코드 (미.솔.시)
Fm코드 (파.라b.도)
Em7코드 (미.솔.시.레)
Fm7코드 (파.라b.도.미b)

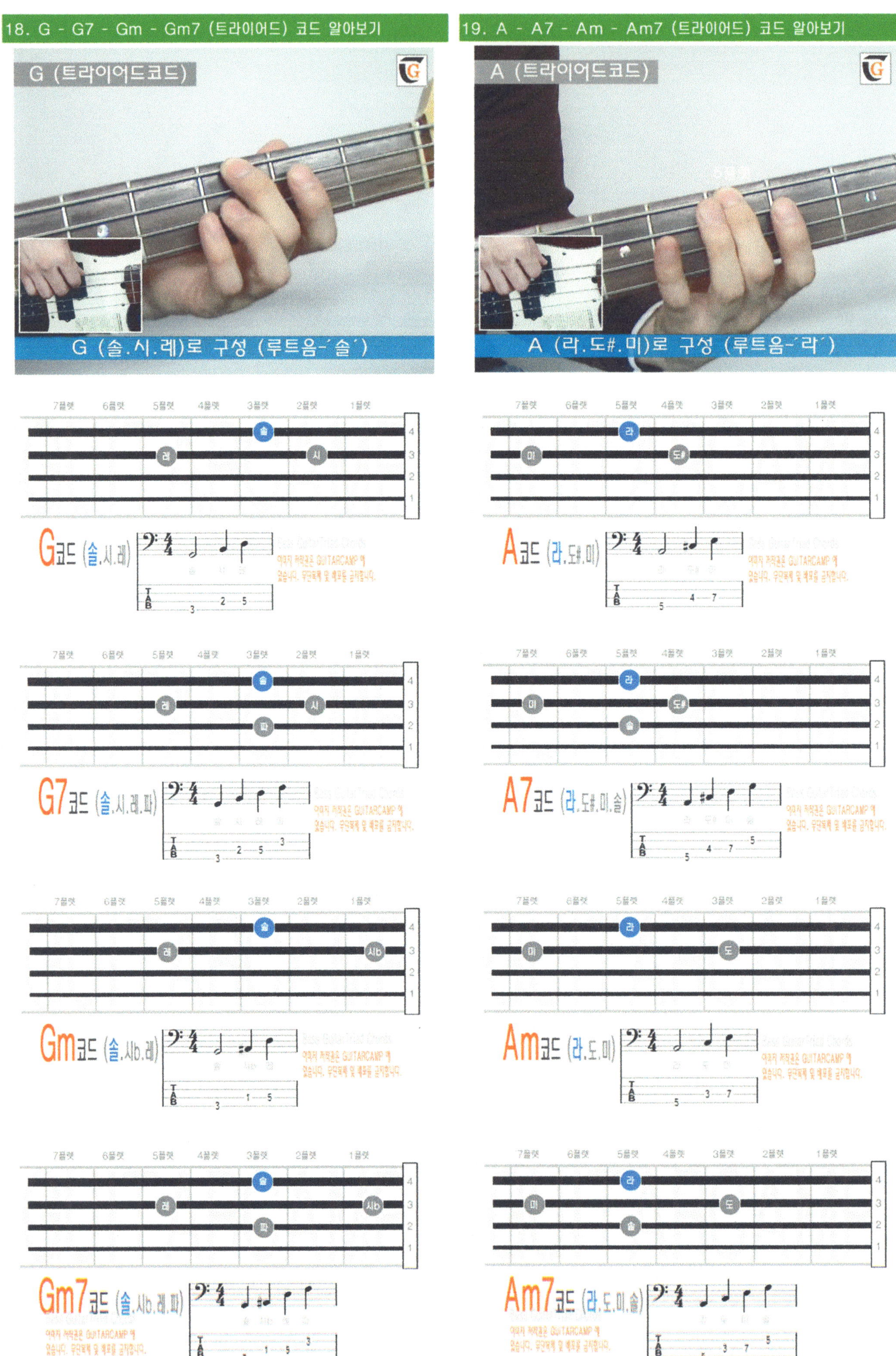

18. G - G7 - Gm - Gm7 (트라이어드) 코드 알아보기
G (트라이어드코드)
G (솔.시.레)로 구성 (루트음-´솔´)
7플렛 6플렛 5플렛 4플렛 3플렛 2플렛 1플렛
솔
레 시
G코드 (솔.시.레)
여자지 저작권은 GUITARCAMP 에 있습니다. 무단복제 및 배포를 금지합니다.
G7코드 (솔.시.레.파)
Gm코드 (솔.시b.레)
Gm7코드 (솔.시b.레.파)

19. A - A7 - Am - Am7 (트라이어드) 코드 알아보기
A (트라이어드코드)
A (라.도#.미)로 구성 (루트음-´라´)
라
미 도#
A코드 (라.도#.미)
A7코드 (라.도#.미.솔)
Am코드 (라.도.미)
Am7코드 (라.도.미.솔)

20. B - B7 - Bm - Bm7 (트라이어드) 코드 알아보기

B (트라이어드코드)

B (시.레#.파#)로 구성 (루트음-´시´)

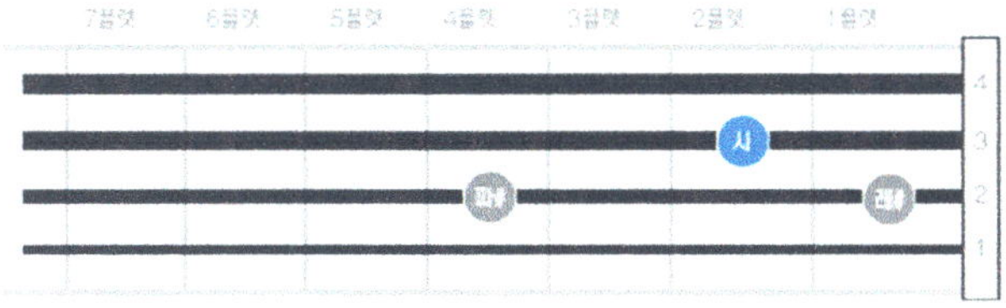

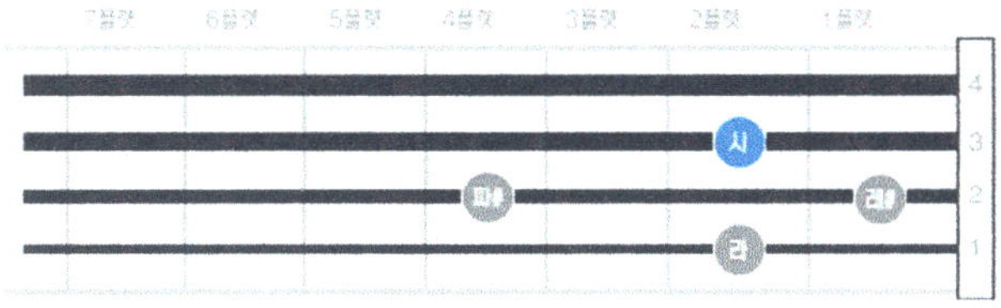

B코드 (시.레#.파#)

B7코드 (시.레#.파#.라)

Bm코드 (시.레.파#)

Bm7코드 (시.레.파#.라)

21. 옥타브코드 알아보기

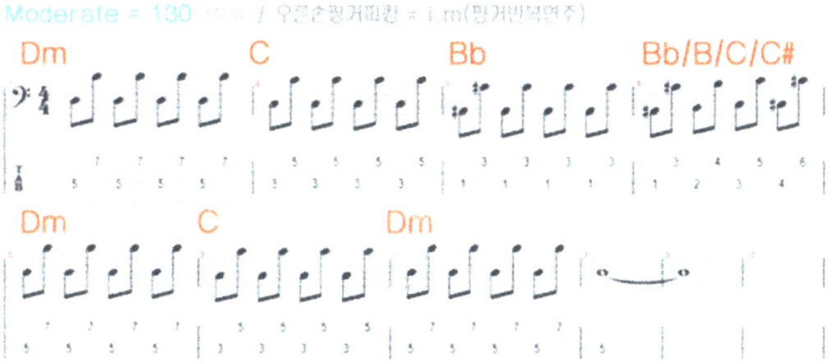

루트음에서 8도 진행음으로 구성. 예)도->도

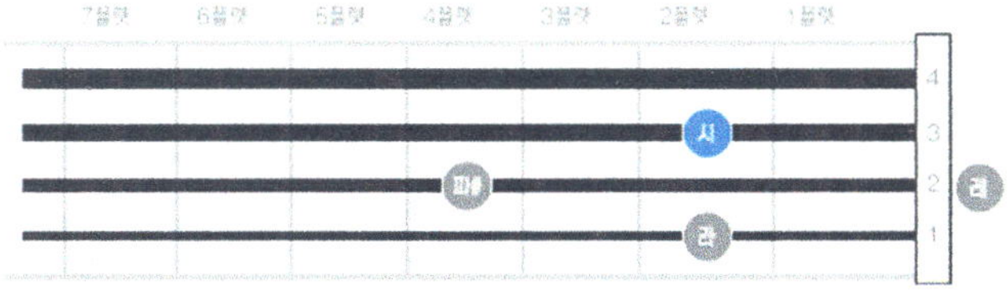

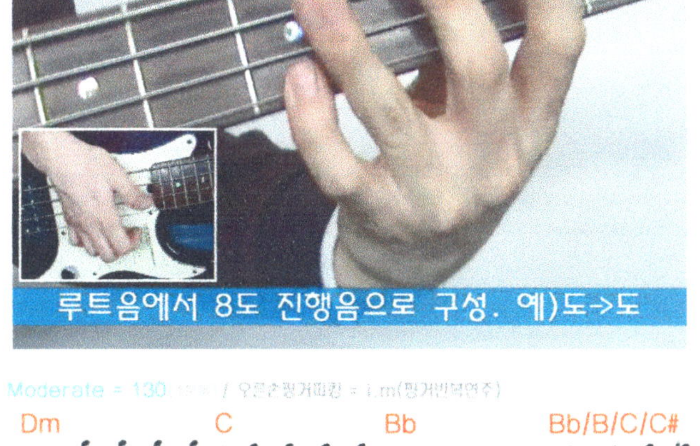

루트음에서 8도 진행음으로 구성. 예)도->도

Moderate = 130 / 오른손핑거피킹 = i.m(핑거반복연주)

Dm C Bb Bb/B/C/C#

Dm C Dm

(옥타브코드진행시 정확한 음정과 박자에 맞추어 진행하는것이 중요.
다음에 진행될 코드를 미리생각하며 연주하세요!)

22. C - F - G7 - C코드체인지 알아보기

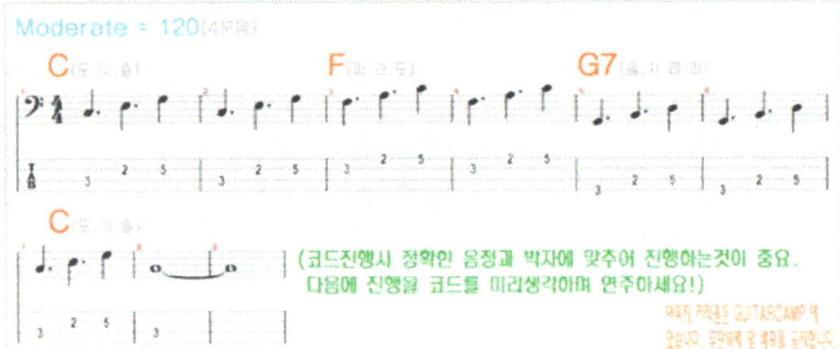

23. Am - Dm - E7 - Am코드체인지 알아보기

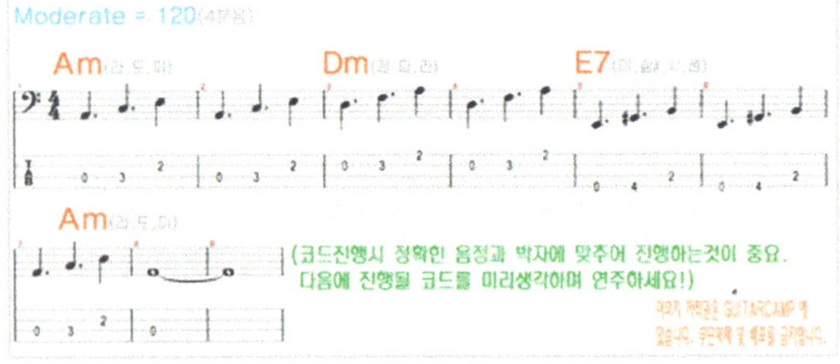

24. D - C - Bb - B - C - C# - D 옥타브코드체인지 알아보기

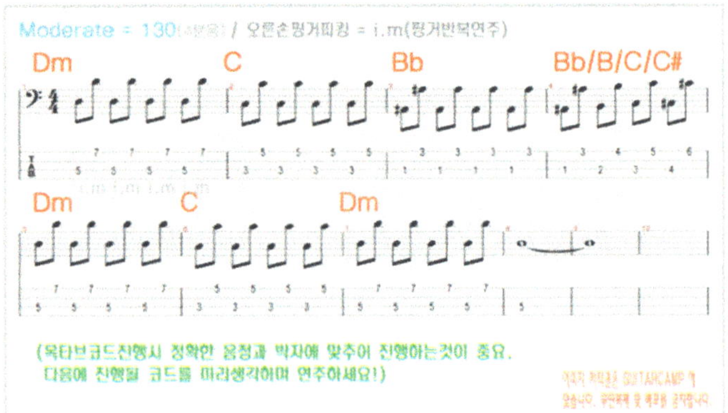

25. 왈츠(Waltz)리듬 알아보기

Moderate = 140

G   C   D7

G

♩. (왈츠리듬은 4/3박자로 경쾌하게 연주합니다. 코드 첫번째박자에 강하게 엑센트를 주며
   강.약약으로 연주하세요!, 다음에 진행될 코드를 미리생각하며 연주하세요!)

왈츠(Waltz) 4/3박자

18세기말에 오스트리아 바이에른 지방에서 독일 무곡의 영향으로 생겨난
보통 빠르기의 박자 춤곡입니다. 원래 왈츠는 남녀가 서로 끌어안고 원을
그리면서 추는 춤이었는데, 상류 사회로 유행하기 시작한 것은 프랑스혁명
과19세기 사회구조의 변화 덕분이었습니다. 19, 20세기를 통하여 여러
가지 왈츠의 형식이 발전하였고, 오늘날에도 사교 댄스나 발레 음악에
없어서는 안될 춤과음악이 되었습니다.

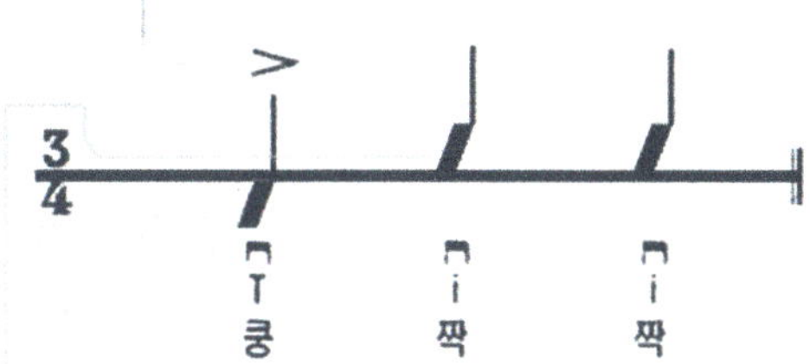

다운 스트로크로 연주
4.5.6번현을 스트로크로 연주함

1.2.3번현을 스트로크하여 연주함(피크사용권장)

연습)

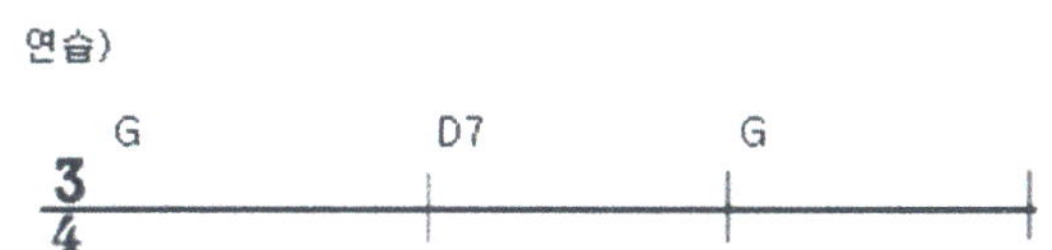

26. 4비트(4beat)리듬 패턴 1

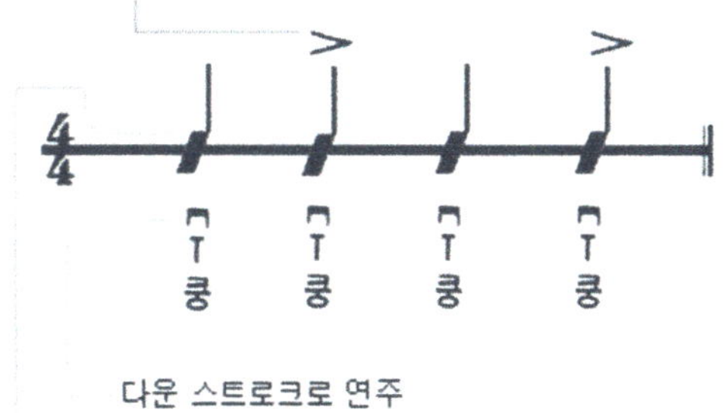

Moderate = 80

G   C   D7   G

(4비트리듬은 4/4박자 중 가장 기본이 되는리듬입니다. 정확한 4분음표박자 길이를 생각하며
 엑센트와 함께 연주하세요! 다음에 진행될 코드를 미리생각하며 연주하세요!)

4비트(4 Beat) 4/4박자

4비트는 곡의 템포가 빠른 것에서부터 느린 것에 이르기까지 넓게
사용되고 있으므로 꼭 익혀두어야 하는 기본적인 리듬의 한 종류입니다
둘째 박과 넷째 박에 악센트를 넣고, 첫 박과 셋째 박은 약간 스타카토를
시키는 기분으로 연주합니다. 각 박자 사이의 여운을 가볍게 커팅시키는
요령도 필요합니다.

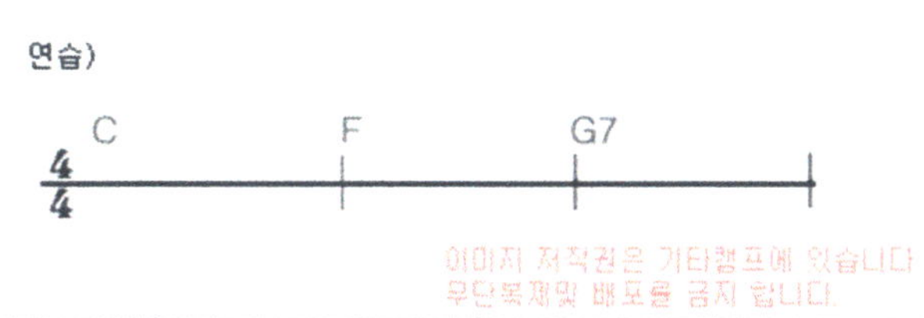

다운 스트로크로 연주

기타현모두를 스트로크하여 연주함(피크사용권장)

연습)

C   F   G7
4
4

27. 4비트(4beat)리듬 패턴 2

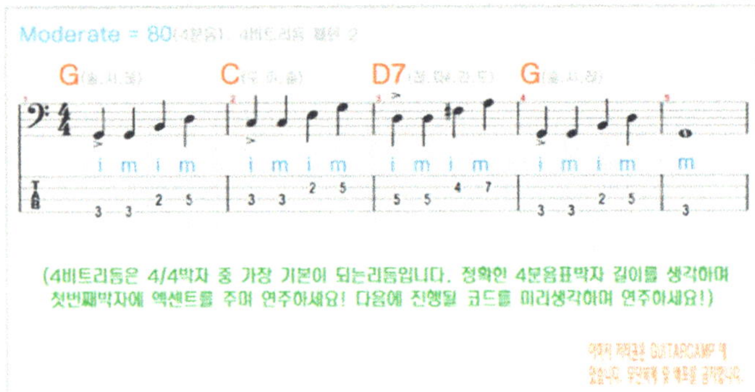

(4비트리듬은 4/4박자 중 가장 기본이 되는리듬입니다. 정확한 4분음표박자 길이를 생각하며
첫번째박자에 엑센트를 주며 연주하세요! 다음에 진행될 코드를 미리생각하며 연주하세요!)

4비트(4 Beat) 4/4박자

4비트는 곡의 템포가 빠른 것에서부터 느린 것에 이르기까지 넓게
사용되고 있으므로 꼭 익혀두어야 하는 기본적인 리듬의 한 종류입니다
둘째 박과 넷째 박에 악센트를 넣고, 첫 박과 셋째 박은 약간 스타카토를
시키는 기분으로 연주합니다. 각 박자 사이의 여운을 가볍게 커팅시키는
요령도 필요합니다.

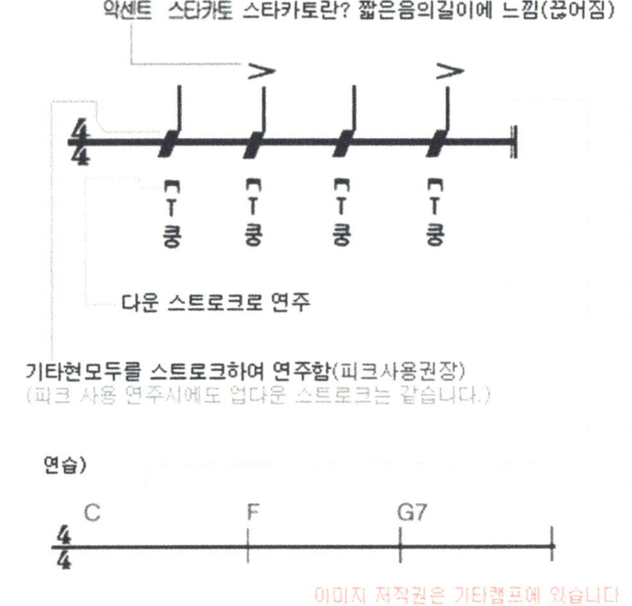

기타현모두를 스트로크하여 연주함(피크사용권장)
(피크 사용 연주시에도 업다운 스트로크는 같습니다.)

연습)
C   F   G7

---

28. 8비트(8beat)리듬 패턴 1

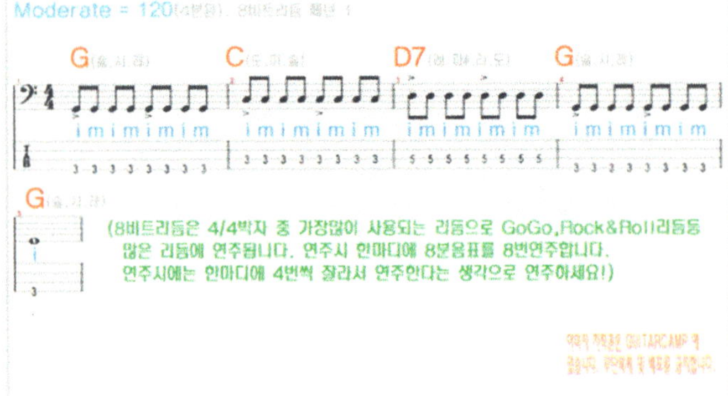

(8비트리듬은 4/4박자 중 가장많이 사용되는 리듬으로 GoGo, Rock&Roll리듬등
많은 리듬에 연주됩니다. 연주시 한마디에 8분음표를 8번연주합니다.
연주시에는 한마디에 4번씩 잘라서 연주한다는 생각으로 연주하세요!)

8Beat(고고(Go Go)) 4/4박자

트위스트, 럼보, 몽키 등 60년대 중반에 유행한 댄스
뮤직의 총칭이 '고고'입니다라고 부르는 리듬은 정확히 얘기해서
8비트라고하는 것이 좋습니다

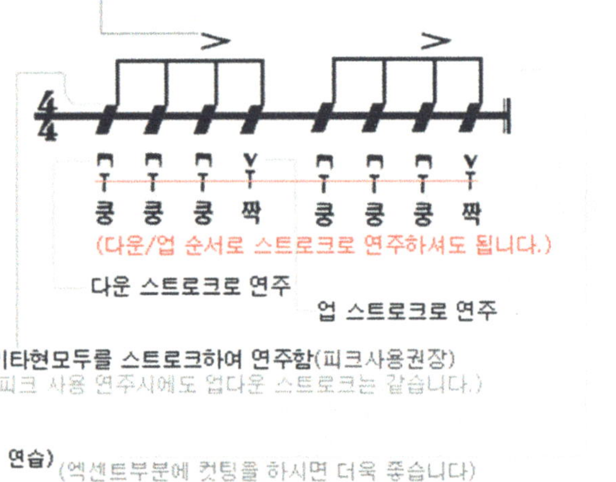

기타현모두를 스트로크하여 연주함(피크사용권장)
(피크 사용 연주시에도 업다운 스트로크는 같습니다.)

연습) (엑센트부분에 컷팅을 하시면 더욱 좋습니다)
C   F   G7

29. 8비트(8beat)리듬 패턴 2

Moderate = 120

(8비트리듬은 4/4박자 중 가장많이 사용되는 리듬으로 GoGo,Rock&Roll리듬등
많은 리듬에 연주됩니다. 연주시 한마디에 8분음표를 8번연주합니다.
연주시에는 한마디에 4번씩 잘려서 연주한다는 생각으로 연주하세요!)

8Beat(고고(Go Go)) 4/4박자

트위스트, 럼보, 몽키 등 60년대 중반에 유행한 댄스
뮤직의 총칭이 '고고'입니다라고 부르는 리듬은 정확히 얘기해서
8비트라고하는 것이 옳습니다

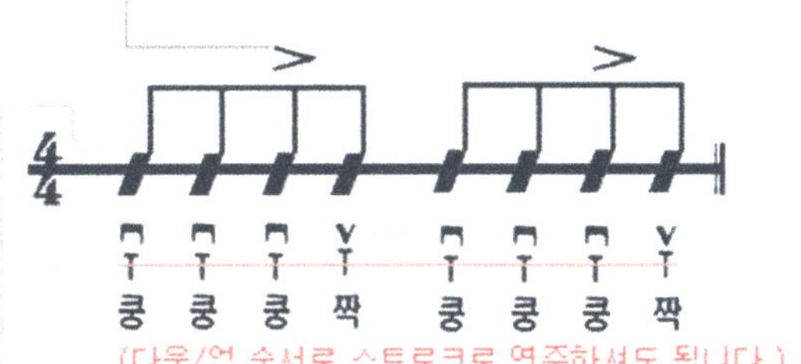

(다운/업 순서로 스트로크로 연주하셔도 됩니다.)

다운 스트로크로 연주

업 스트로크로 연주

기타현모두를 스트로크하여 연주함(피크사용권장)

연습) (엑센트부분에 컷팅을 하시면 더욱 좋습니다)

30. 16비트(16beat)리듬 알아보기

Moderate = 80

(16비트리듬은 4/4박자로 4분음 한박자에 4번씩잘라서 한마디에 16번을 연주합니다.
연주시 한마디에 한박자 4번씩 4번 연주한다는 생각으로 연주하세요!)

16비트(16 Beat) 4/4박자

8비트에서 쉐이크를 거쳐 16분 음표를 사용하는 16비트로, 이렇게 리듬은
복잡하게 발전해 나아가고 있습니다.
(첫박에 엑센트와 함께 빠르고 정확하게 연주하는 것이 중요합니다.)

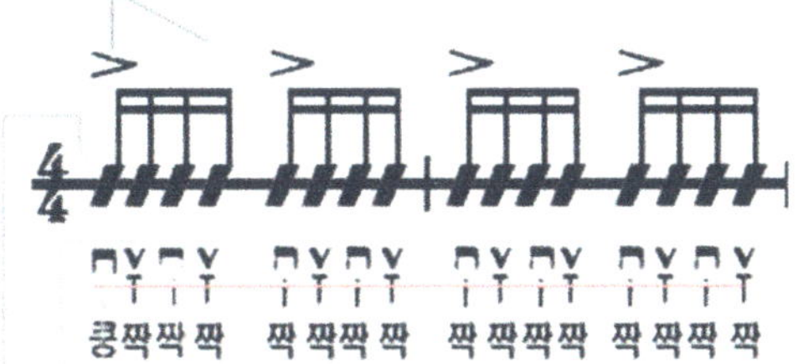

다운 스트로크로 연주
업 스트로그 연주

기타현모두를 스트로크하여 연주함(피크사용권장)

연습) (빠르고 정확하게 연주하세요!)

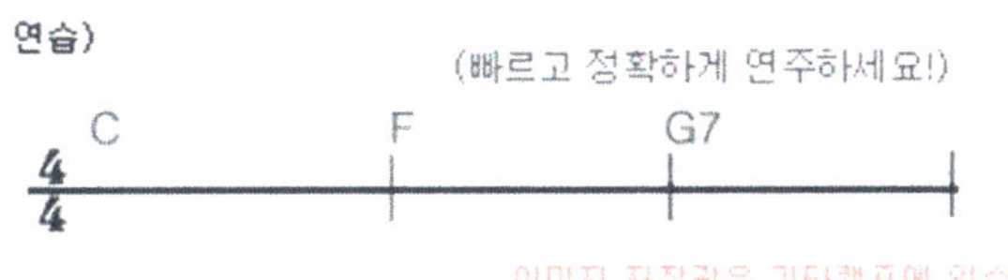

31. 슬로우락(Slow Rock)리듬

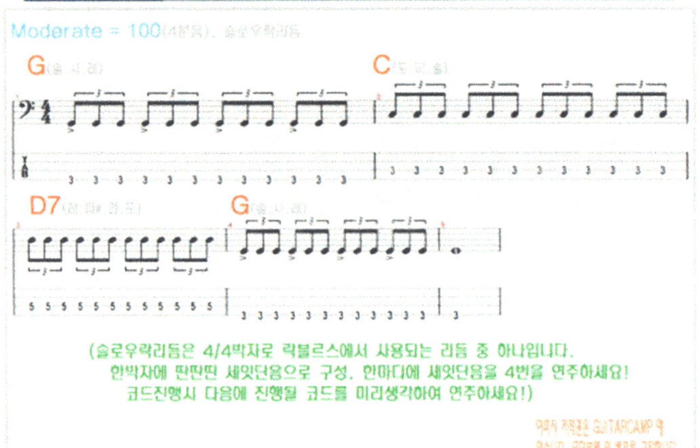

(슬로우락리듬은 4/4박자로 락블루스에서 사용되는 리듬 중 하나입니다.
한박자에 딴딴딴 세잇단음으로 구성, 한마디에 세잇단음을 4번을 연주하세요!
코드진행시 다음에 진행될 코드를 미리생각하여 연주하세요!)

슬로우 록(Slow Rock) 12비트(12 Beat)

1940년대에 이르러 블루스 음악은 부기우기와 셔플로부터 생겨난 강렬한
댄스 비트와 어울려서 R&B로 발전합니다. 그 후 R&B는 로큰롤을
낳았지만, 발라드하면서 조금 느린 록음악에서는 R&B의 리듬 패턴을
계속 사용하였습니다. 결국 R&B나 록 발라드나 슬로우 록은 같은 패턴의
리듬입니다. 록 블루스(Rock Blues)라고도 합니다.
리듬의 여러 가지 이름 중에서 비교적 비트가 약한 것이 슬로우 록입니다.

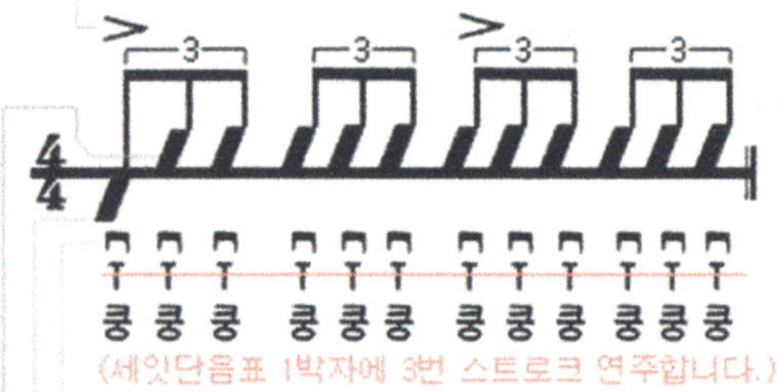

다운 스트로크로 연주
4.5.6번현을 스트로크로 연주함

1.2.3번현을 스트로크하여 연주함(피크사용권장)
(피크 사용 연주시에도 업다운 스트로크는 같습니다.)

연습)

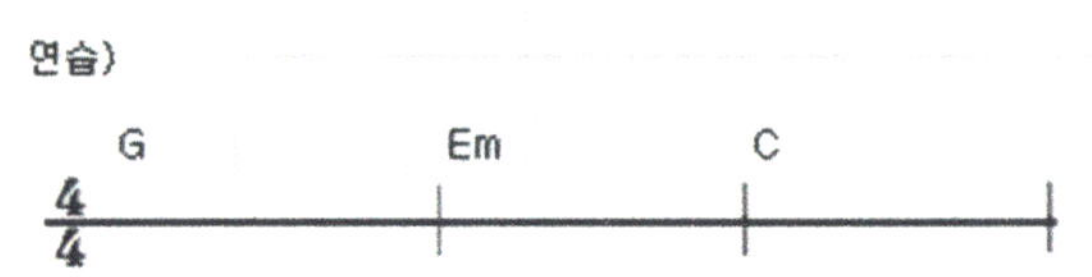

32. 셔플(Shuffle)리듬 알아보기

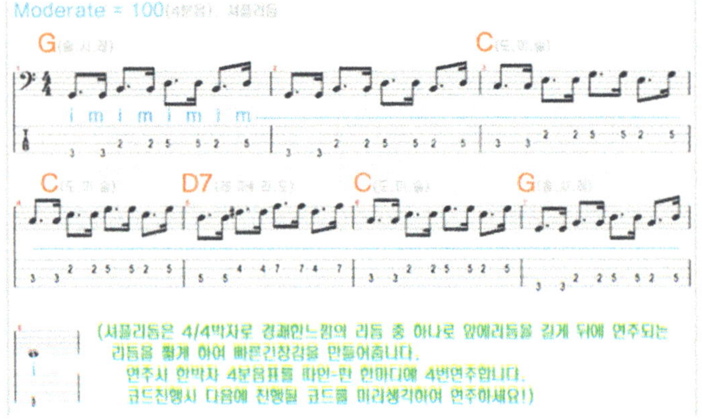

(셔플리듬은 4/4박자로 경쾌한느낌의 리듬 중 하나로 앞에리듬을 길게 뒤에 연주되는
리듬을 짧게 하여 빠른긴장감을 만들어줍니다.
연주시 한박자 4분음표를 따인-한 한마디에 4번연주합니다.
코드진행시 다음에 진행될 코드를 미리생각하여 연주하세요!)

셔플(Shuffle) 4/4박자

부기우기와 마찬가지로 미국 남부의 흑인들 사이에서 생겨나 1920년대에
재즈와 함께 유행하였으며, 1950년대에 이르러 흑인 음악 리바이벌 붐을
타고 팝 음악의 독립된 분야로서 크게 성행하기 시작한 리듬입니다.

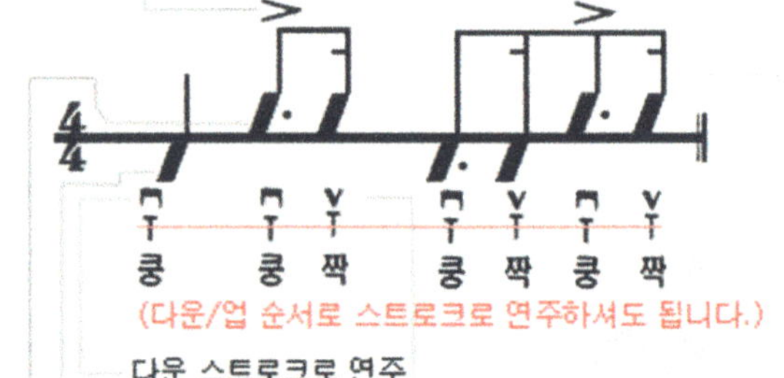

다운 스트로크로 연주   업 스트로크로 연주
4.5.6번현을 연주함

1.2.3번현을 스트로크하여 연주함(피크사용권장)
(피크 사용 연주시에도 업다운 스트로크는 같습니다.)

연습) (길고 짧은 음의 간격을 잘표현하셔야 합니다.)

A   D   E7
4/4

33. 스윙(Swing)리듬 알아보기

Moderate = 100

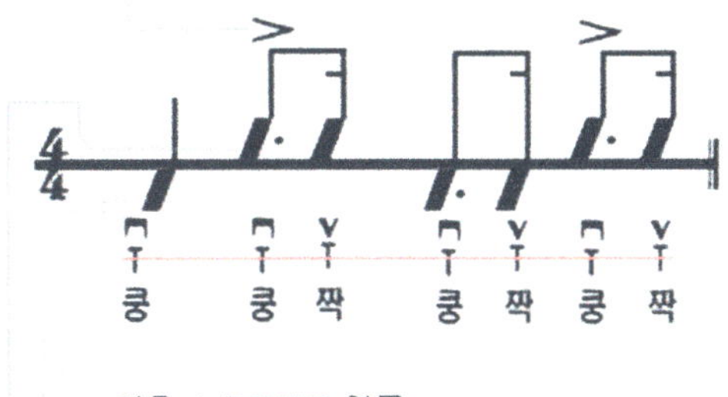

스윙(Swing) 4/4박자

1930년대 베니굿맨악단 그들이 연주하는 음악을 스윙이라고 한데서
나온 말이다. 그들은 스윙음악으로 인기를 모아 스윙이라고 하면 곧
재즈를 가리킬 정도로 유명해졌다.
4/4박자의 노래이며 저음을 칠때의 여운을 유지하는 것이 중요하다.
스윙을 연주할때는 리듬을 따라 어깨가 들썩들썩하는 느낌을 가지면
좋습니다.

악센트 스타카토 스타카토란? 짧은음의길이에 느낌(끊어짐)

다운 스트로크로 연주
4.5.6번현을 연주함   업 스트로크로 연주

1.2.3번현을 스트로크하여 연주함(피크사용권장)
(피크 사용 연주시에도 업다운 스트로크는 같습니다.)

연습) (길고 짧은 음의 간격을 잘표현하셔야 합니다.)

C	G7	C
4/4		

(스윙리듬은 4/4박자로 재즈느낌의 리듬 중 하나로 첫박자에 8분음을 뒤로
앞에 리듬을 길게 뒤에 연주되는 리듬을 짧게 하여 긴장감을 만들어줍니다.
연주시 한박자 액센트를 시작으로 4분음표를 따안-딴 한마디에 3번연주합니다.
코드진행시 다음에 진행될 코드를 미리생각하여 연주하세요!)

34. 레게(Trot)리듬 알아보기

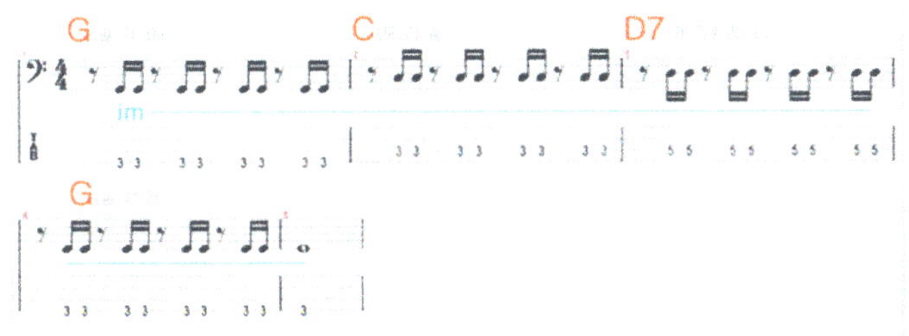

Moderate = 80

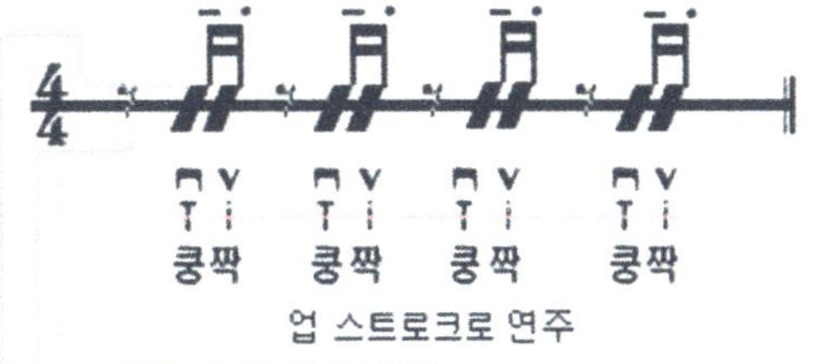

레게(Reggae) 4/4박자

미국에서 생겨나지 않은 리듬 중에서 최근 전 세계적으로 유행했었던
리듬이 바로 Reggae입니다.1960년대 중반, 자마이카에서 생겨난 레게는
스카(SKA) 사운드가 발전하여만들어진 것입니다. 자마이카의 연주인들이
방송을 통하여 청취했던 미국의 R&B 음악이 1950년대 중반에
스카사운드를 만들어냈습니다.

악센트 스타카토 스타카토란? 짧은음의길이에 느낌(끊어짐)

긴: 느낌으로 연주

짧게 끊어지는 느낌으로 연주

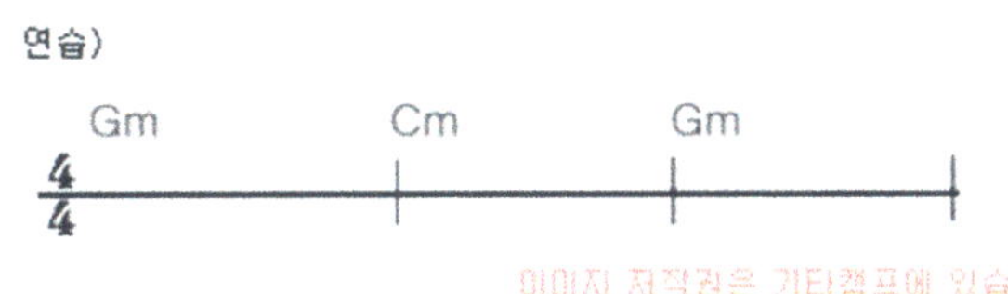

업 스트로크로 연주

다운 스트로크로 연주

쉼표 반박자를 쉼(기초부문참조)(웃)

기타현모두를 스트로크하여 연주함(피크사용권장)
(피크 사용 연주시에도 업다운 스트로크는 같습니다.)

연습)

Gm	Cm	Gm
4/4		

(레게리듬은 4/4박자로 아프리카에서 시작된 리듬으로 시작부분을 8분쉼으로
시작되는 것이 특징으로 경쾌한느낌의 리듬 중 하나입니다.
코드진행시 다음에 진행될 코드를 미리생각하여 연주하세요!)

35. 쌈바(Samba)리듬 알아보기

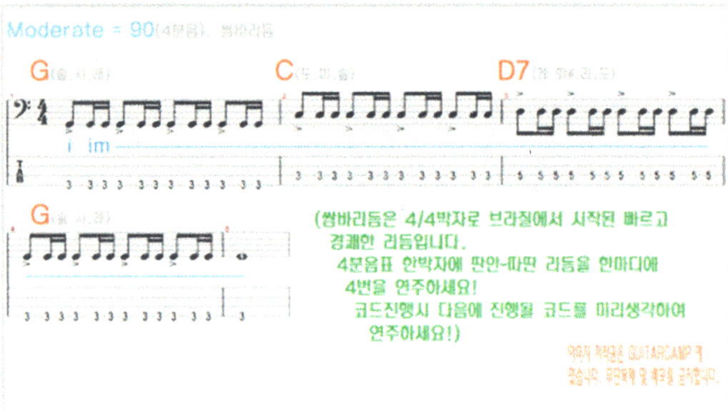

Moderate = 90(4분음), 쌈바리듬

G   C   D7   G

삼바(Samba) 4/2박자

Samba는 브라질 흑인계 주민의 토속 춤곡 및 리듬 등을 일컫는 2박자계
의빠른 템포입니다. 처음에는 집단으로 원무를 한다던가 또는 행렬에서
사용되었다가 1910년대에 대중화되기 시작했습니다. 이 리듬이 미국에
들어온것은 1940년대였으며, 그 후 재즈와 결합해서 보사노바를
탄생하게 합니다.

악센트 스타카토 스타카토란? 짧은음의길이에 느낌(끊어짐)

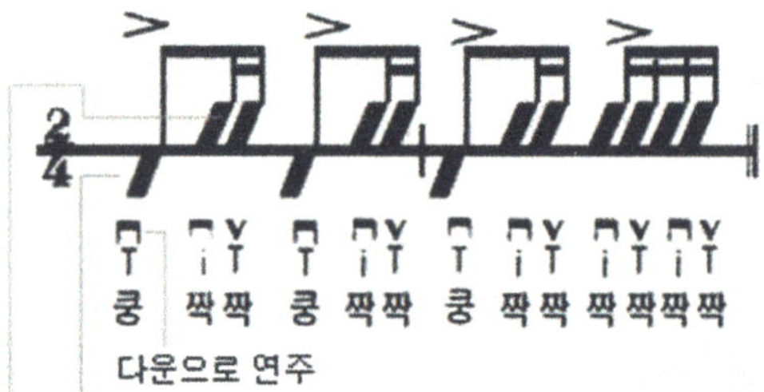

기타현 4,5,6번(저음부)현을 엄지 핑거로 다운으로 연주함

기타현 1,2,3번(고음부)현을 손바닥을 펴주며 다운으로 연주함
(피크 사용 연주시에도 업다운 스트로크는 같습니다.)

연습)

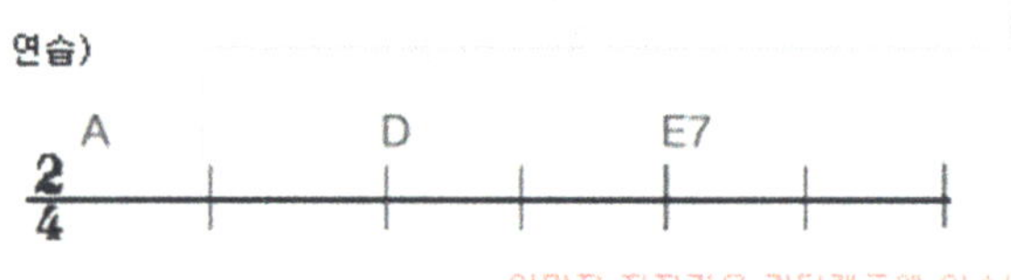

36. 트로트(Trot)리듬 알아보기

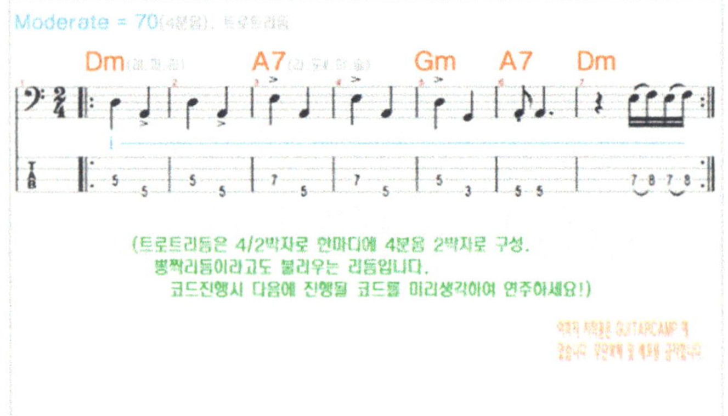

Moderate = 70(4분음), 트로트리듬

Dm   A7   Gm A7 Dm

Trot(트로트) (4/2)박자(한마디에 2박자를 연주함)

가장 단순한 형태의 리듬이지만 무시할 수 없을 정도로 아주 많은 곡에
쓰이는 것으로 우리가 흔히 말하는 '뽕짝'이라는 리듬의 형태가 바로
이것입니다.
'뽕짝'은 이 리듬의 느낌을 의성어로 발음한 것이라고 합니다. 아래에
리듬의 형태를 보시면 이해가 가실 것입니다.

악센트 스타카토 스타카토란? 짧은음의길이에 느낌(끊어짐)

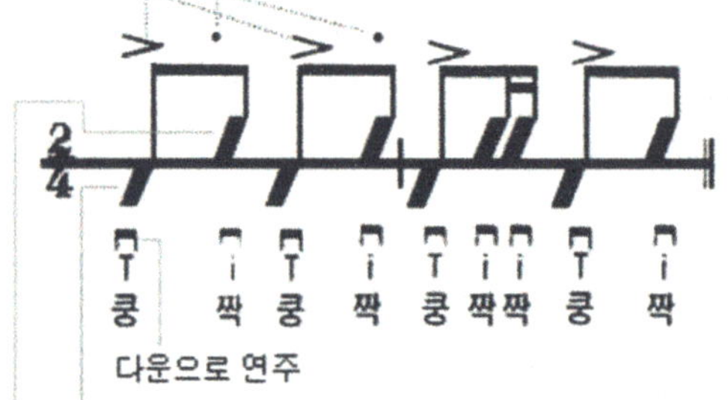

기타현 4,5,6번(저음부)현을 엄지 핑거로 다운으로 연주함

기타현 1,2,3번(고음부)현을 손바닥을 펴주며 다운으로 연주함
(피크 사용 연주시에도 업다운 스트로크는 같습니다.)

연습)

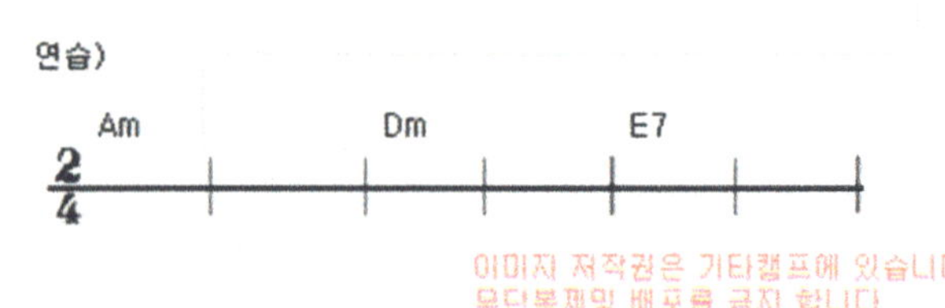

37. 헤머링온 & 풀링오프 & 트릴 테크닉 알아보기

헤머링온&풀링오프&트릴테크닉
헤머링온(Hammering On)

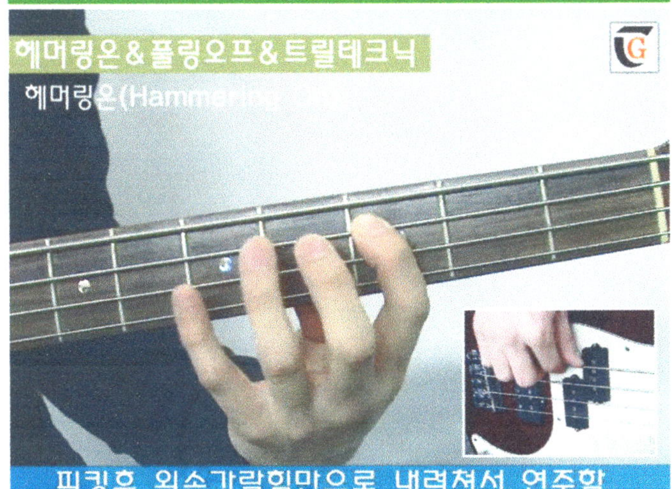

해머링 온 (Hammering On)

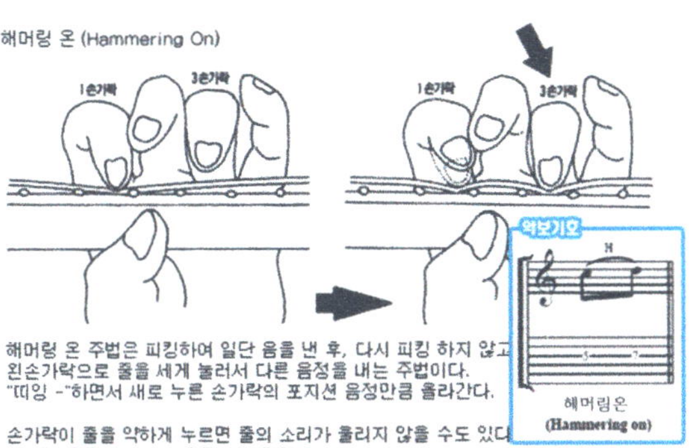

해머링 온 주법은 피킹하여 일단 음을 낸 후, 다시 피킹 하지 않고
왼손가락으로 줄을 세게 눌러서 다른 음정을 내는 주법이다.
"띠잉 -"하면서 새로 누른 손가락의 포지션 음정만큼 올라간다.

손가락이 줄을 약하게 누르면 줄의 소리가 울리지 않을 수도 있다.
헤머링 온을 할 때는 순간적으로 강하게
눌러야 앞의 여운이 사라지지 않고 고운 소리가 남는다.

망치로 내려치듯 느낌으로 함.

풀링 오프 (Pulling Off)

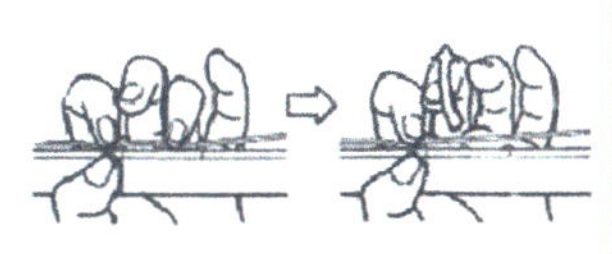

풀링 오프는 헤머링 온과는 반대로 음을 누른 상태에서 줄을 퉁긴 후에,
줄을 눌렀던 왼손가락을 떼어서 다른 음정(처음 누른 음정)으로 바꾸는 주법을 말한다.

풀링 오프를 하는 손가락의 끝으로 줄을 긁듯이 강하게 퉁기면서
떼어야만 올바른 소리가 난다. 줄을 퉁겨 주지 않고 그냥 손가락을 떼면
소리가 아주 작아져서 잘 들리지 않게 된다.

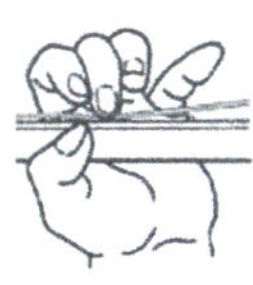
트릴테크닉은 헤머링온과 풀링오프 테크닉을
빠르게 반복적으로 움직여 사운드를 내는 테크닉
입니다.

38. 슬라이드 & 글리산도 테크닉 알아보기

슬라이드 (Slide)

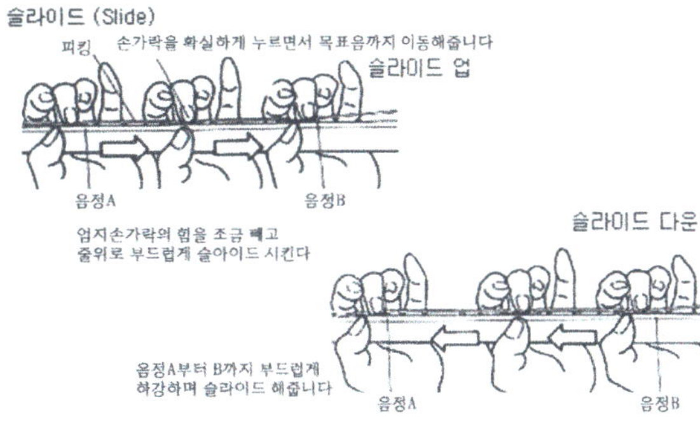

슬라이드란, 줄 위를 손가락으로 누른 후, 지판을 떼지 않고
미끄러뜨려 음정을 바꾸는 주법을 말한다.

글리산도(Glissado) 혹은 글리스(Gliss)라고도 한다.

슬라이드는 시작음과 끝나는 음이 명확하고
글리산도는 시작음이나 끝나는 음이 명확

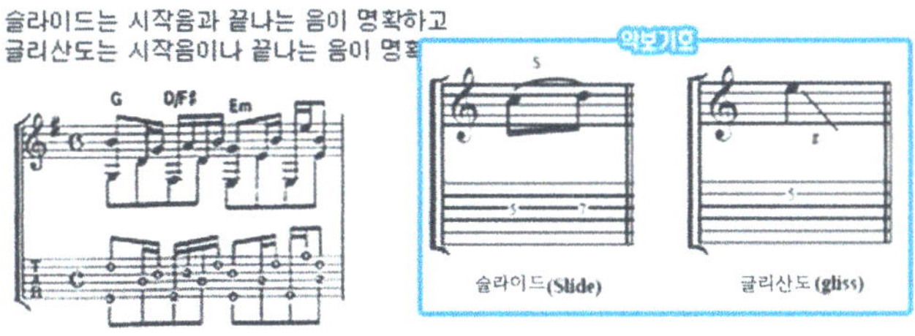

39. 스타카토 & 테누토 테크닉 알아보기

스타카토란(Staccato)?
연주하고자 하는 음을 짧게끔어 연주함을 말합니다.
악보표기는 '음표위에 " ♩♩ " 점으로 표기합니다

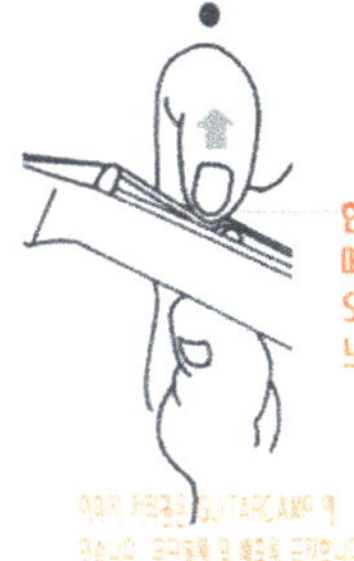

현을 누르고 연주한다음 누르고있던 손가락을
떼어서 음을 짧게 연주합니다.
오른손 핑거피킹또한 짧게 끊어진다는
느낌으로 연주하세요!

테누토란(Tenuto)?
연주하고자 하는 음을 길게 연주함을 말합니다.
악보표기는 '음표위에 " ♩♩ " 선으로 표기합니다

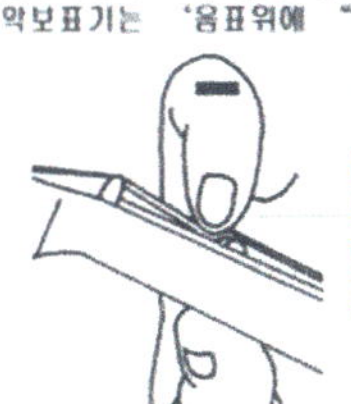

현을 누르고 연주한다음 음을길게 유지한다는
느낌으로 연주합니다.
오른손 핑거피킹또한 음을길게 한다는
느낌으로 연주하세요!

40. 네츄럴 하모닉스 테크닉 알아보기

네츄럴하모닉스테크닉(N.Harmonics)

풀렛 위에서 나오는 옥타브하이음정 연주

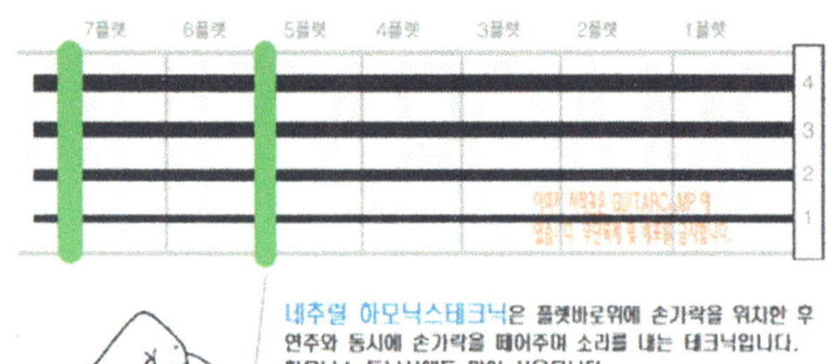

네츄럴 하모닉스테크닉은 플렛바로위에 손가락을 위치한 후
연주와 동시에 손가락을 떼어주며 소리를 내는 테크닉입니다.
하모닉스 튜닝시에도 많이 사용됩니다.
(5,7,12플렛에서 하모닉스가 잘나며 꼭 플렛정중앙위에
위치하셔야 합니다.)

42. 테핑(라이트핸드) 테크닉 알아보기

테핑테크닉(Tapping)

오른손가락으로 줄을 눌러서 음을 내는 연주

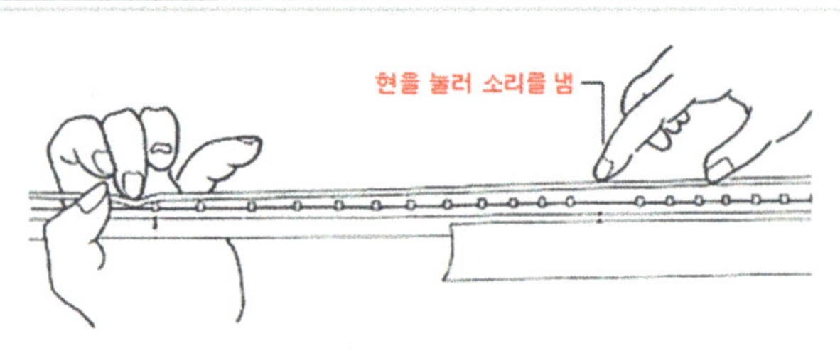

라이트 핸드 왼손으로 음정을 누른후 오른손으로 밀어내듯 연주함..

41. 벤딩(쵸킹) & 비브라토 테크닉 알아보기

밴딩(쵸킹)

핑거힐이 아닌 손목 스냅을 이용하는 것이 중요합니다.

이곳 마디에
힘을 유지함.
이곳에
힘을 강하게
받쳐줌.
들어올린 현을 피킹함.

손목 스냅으로 현을 들어올림.
마디힘을 유지하며 들어올림.

일렉기타이미지처럼 베이스기타또한
몸과 악보기호가 낮은음자리표만 다를뿐 동일합니다.

초킹(또는 벤딩:Bending)은 누르는 프렛을 옮기지 않은 채 왼손가락 끝으로
줄을 밀어서 음정을 변화시키는 주법을 말한다. 왼손가락의 1·2·3·4 중
어느 손가락으로도 초킹이 가능하도록 연습하여야 한다.
어쿠스틱 기타의 경우에는 줄의 장력이 강해서 보통 1/2음이나 1음 정도의
초킹이 많이 사용되고 있지만 일렉 기타의 경우에는 2음까지도 초킹 하는 경우도 있다.
초킹을 할 때 정확한 음정이 나올 수 있도록 주의를 기울이자.
①·②·③·④번선은 ⑥번선 방향으로 밀어 올리고, ⑤·⑥번선은 ①번선 방향으로
끌어내리는 것이 보편적인 방법이다.

정확한 초킹음정를 내기 위해서는 정확한 음을 구분할 수 있는 귀가 필요하다.
쉽게 말하자면 초킹을 하게 되면 음정이 올라간다.
따라서 원하는 음정을 끌어올리면서 원하는 음정을 구분할 줄 알아야 한다.
연습 방법은 먼저 선택한 연습곡을 귀에 완전히 익히도록 많이 듣고나서 초킹 연습을 한다
초킹의 실력 차이는 자기가 원하는 음정을 깨끗하게 표현하는데 있다.
통기타에서는 잘 모르지만 앰프에 연결하여 연주해
보면 초킹과 릴리즈의 전후로 잡음이 생긴다.
이는 초킹과 릴리즈를 하면서 그 줄의 위, 아래를 건들기 때문이다.
이 잡음을 막기 위해서는 어렵지만 잡음이 날 만한 줄을 뮤트 시키는 방법이
가장 효과적이다.

악보기호

반음초킹(벤딩)   한음초킹(벤딩)   반음 반 초킹 (벤딩)   두음초킹(벤딩)

쿼터(1/4)초킹(벤딩)   서서히 초킹(벤딩)   초킹한 상태에서
연주후 원위치로 다운   초킹 후 원위치로 다운

비브라토 (Vibrato)

왼손필거를 상하/좌우로 움직여 음을 떨리게함.
좌우보단 손목스냅을 이용한 상하비브라토를 많이 사용함

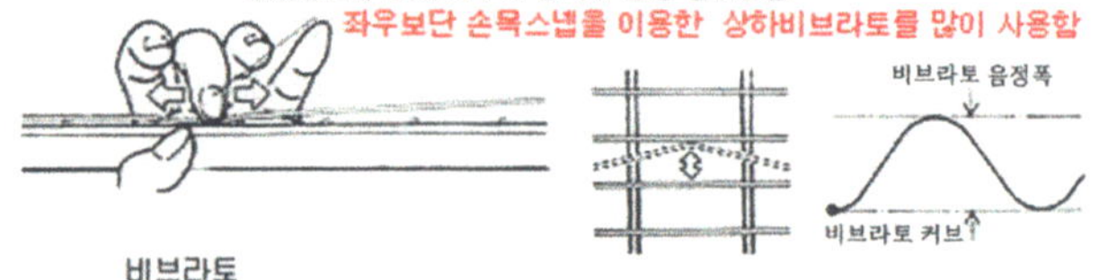

비브라토

만약 멜로디나 프레이즈에 어떠한 표정도 덧붙이지 않는다고 한다면
그것은 음악이 아니라 단순한 신호음이 나열된 것과 같은 셈이다.

아무리 작은 프레이즈에도 반드시 거기에 어울리는 뉘앙스가
표현되어 있지 않으면 안된다. 여기서 다루는 비브라토는 음에
흔들림을 만드는 간단한 것이데, 많은 테크닉 중에서도 가장 정감적인
효과를 만드는 테크닉이라 할 수 있다. 기타 특유의 효과는
거의가 비브라토의 미묘한 움직임에서 생겨난다고 불수 있다.

핸드 비브라토
줄을 누르고 피킹한 다음 누르고 있는 손가락을 지점으로 하여
왼손 전체를 좌우로 흔들어 음에 흔들림 만든다.
이 때 엄지는 가볍게 네크에 닿는 정도이거나 떼도록 하는 것이 좋다.
그리고 음이 흔들리는 속도는 왼손을 흔드는 빠르기로 조종하고
흔들림의 깊이는 누르고 손가락의 힘으로 조종한다.

초킹 비브라토
초킹 비브라토는 초킹과 릴리즈의 되풀이로
비브라토를 만드는 테크닉이다. 흔들림의 스피드는 초킹과 릴리즈의
빠르기로 흔들림의 깊이는 초킹의 크기로 한다.
기타 테크닉 중 중요한 요소중 하나이다.

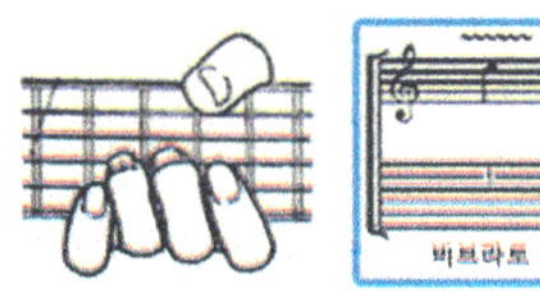

43. A7 Key 12마디 Rock & Roll(락앤롤) 4비트 알아보기

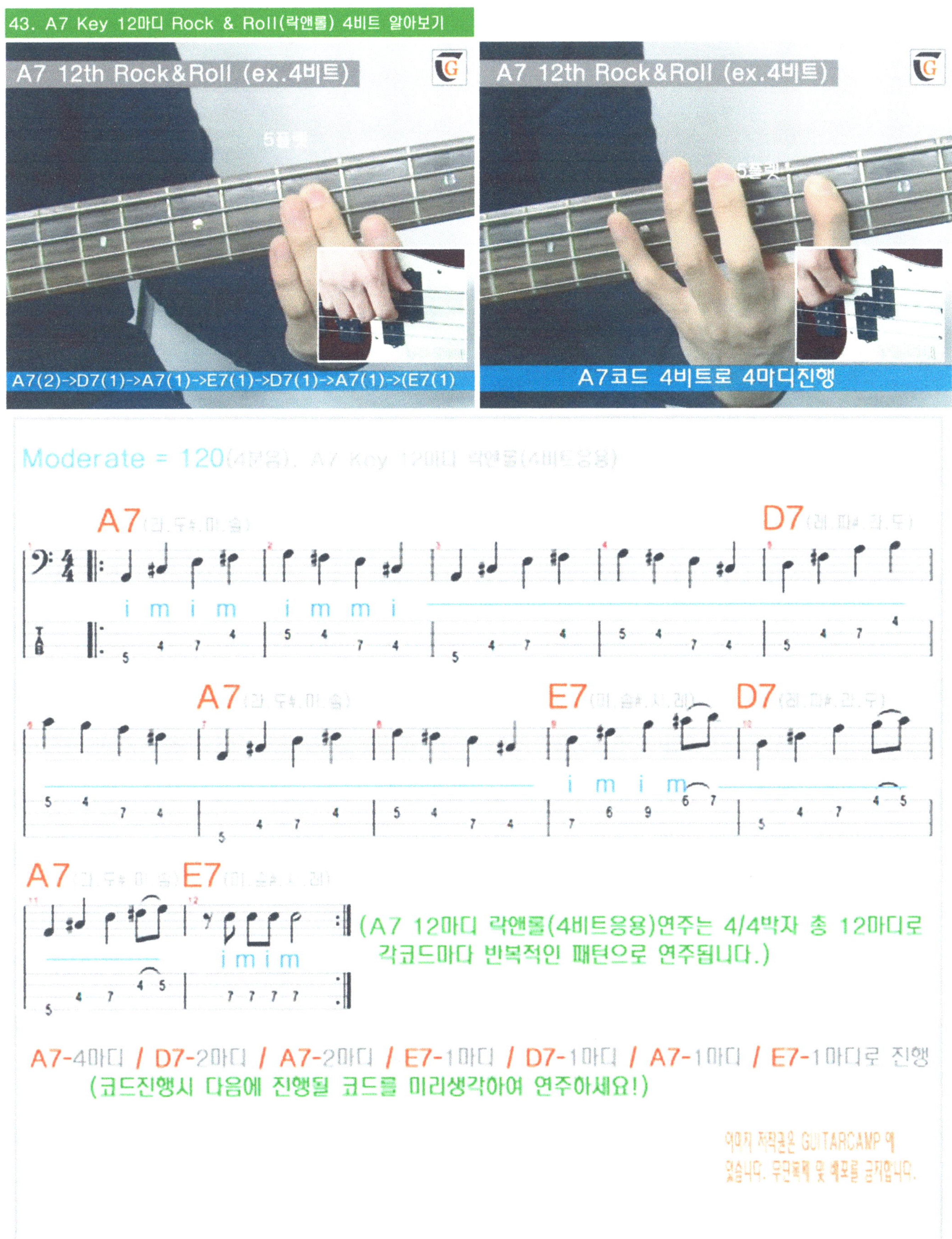

(A7 12마디 락앤롤(4비트응용)연주는 4/4박자 총 12마디로
각코드마다 반복적인 패턴으로 연주됩니다.)

A7-4마디 / D7-2마디 / A7-2마디 / E7-1마디 / D7-1마디 / A7-1마디 / E7-1마디로 진행
(코드진행시 다음에 진행될 코드를 미리생각하여 연주하세요!)

44. A7 Key 12마디 Rock & Roll(락앤롤) 8비트 알아보기

Moderate = 120(4분음). A7 Key 12마디 락앤롤(8비트응용)

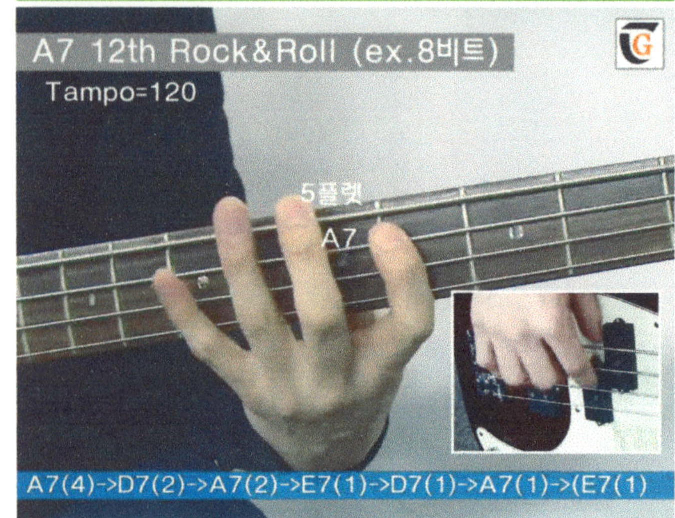

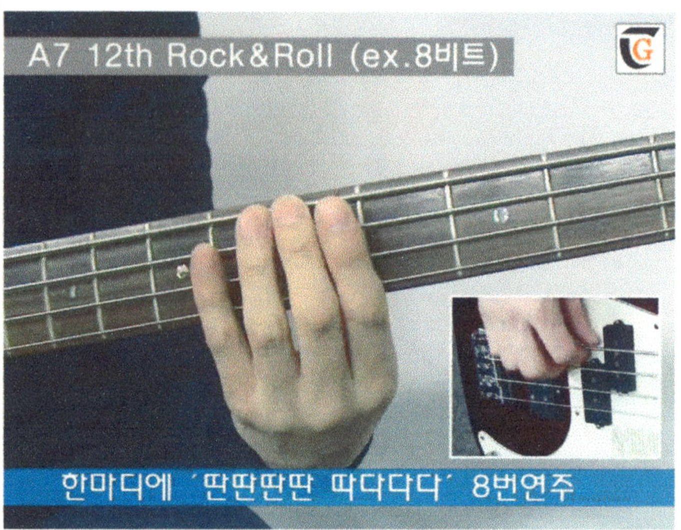

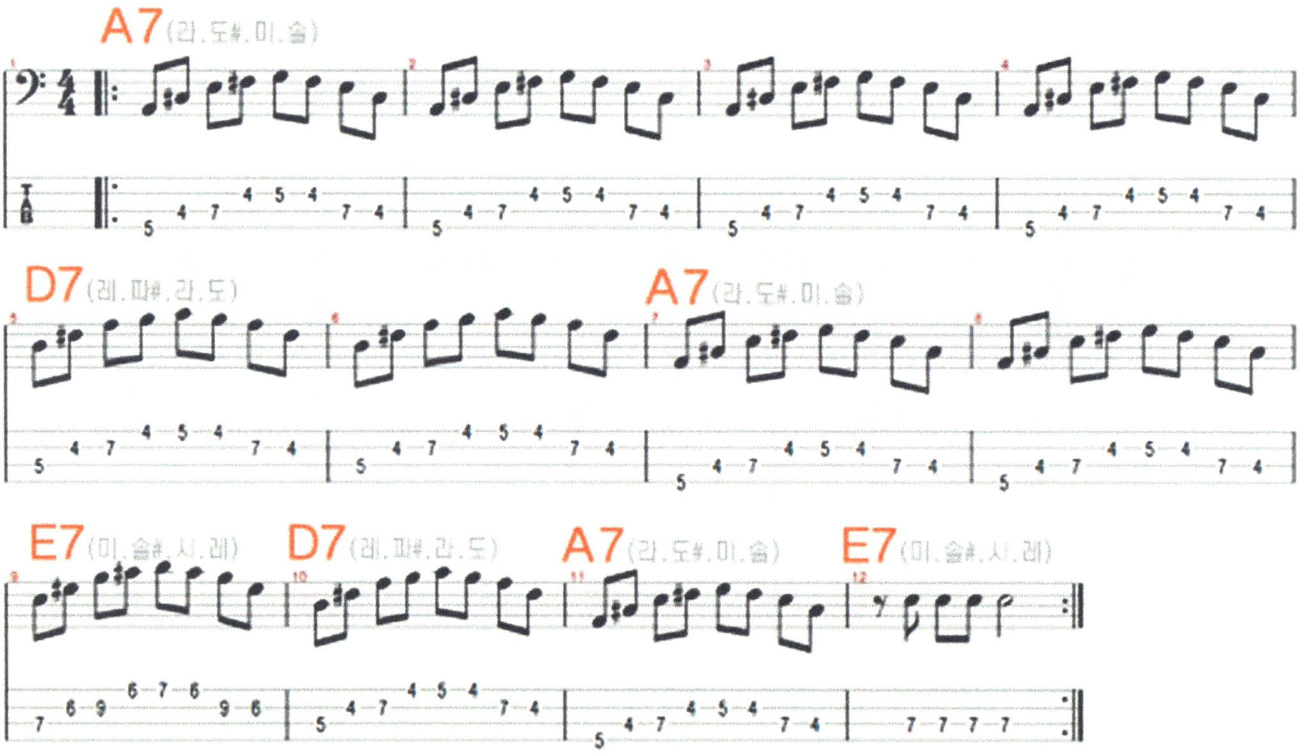

A7-4마디 / D7-2마디 / A7-2마디 / E7-1마디 / D7-1마디 / A7-1마디 / E7-1마디로 진행
(코드진행시 다음에 진행될 코드를 미리생각하여 연주하세요!)

45. A7 Key 12마디 Rock & Roll(락앤롤) 4비트 따라하기

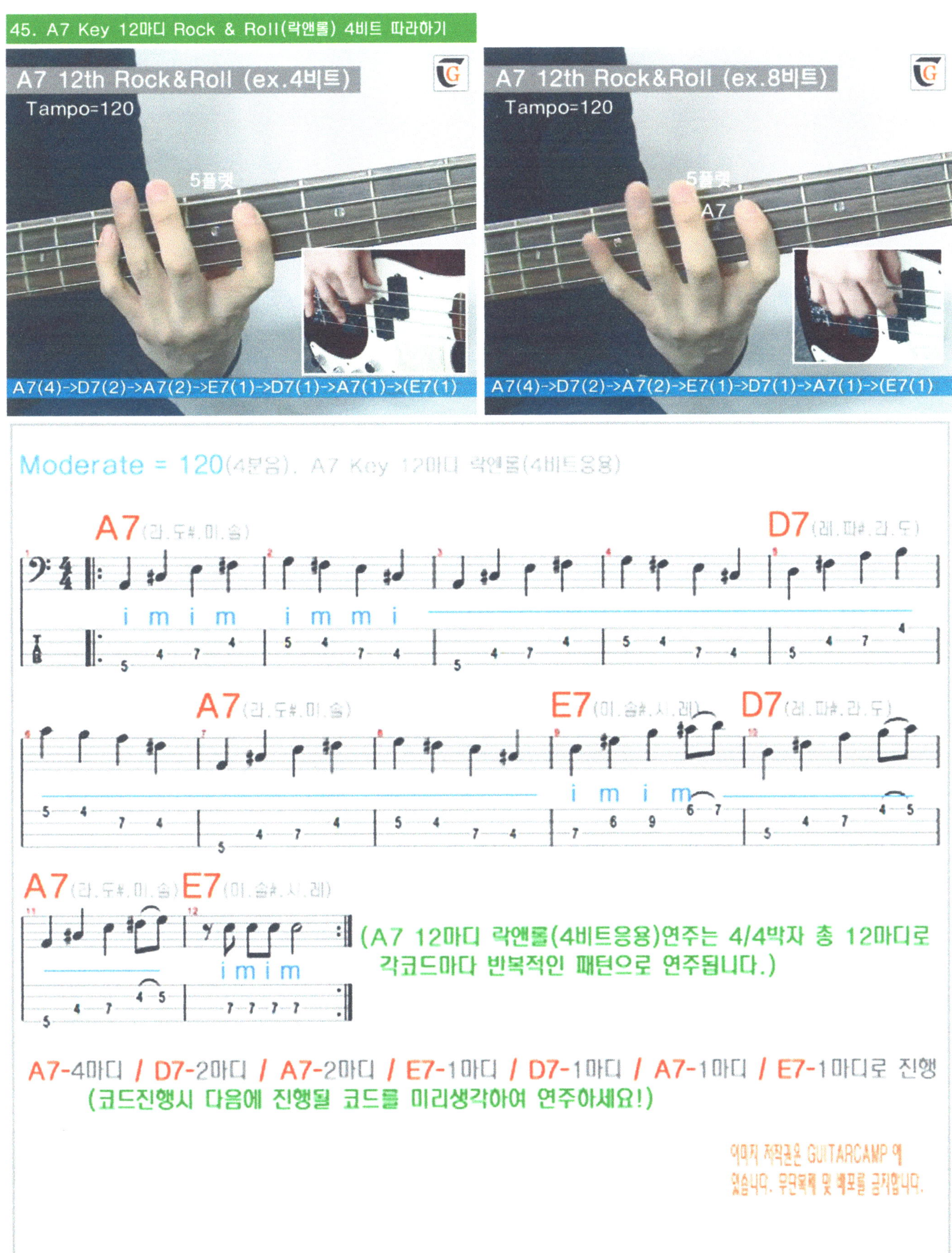

(A7 12마디 락앤롤(4비트응용)연주는 4/4박자 총 12마디로 각코드마다 반복적인 패턴으로 연주됩니다.)

A7-4마디 / D7-2마디 / A7-2마디 / E7-1마디 / D7-1마디 / A7-1마디 / E7-1마디로 진행
(코드진행시 다음에 진행될 코드를 미리생각하여 연주하세요!)